JN057203

新宿書房往来記

港の人

村山恒夫

新宿書房往来記　目次

百人社の三冊から始まる

百人社の三冊　11
清田義昭、田仲のよ　19
済州島から続くチャムスの海の道　24
自前のメディアをもとめて　明治両毛の山鳴りから　28
ガリ版印刷の歴史・文化を刻む　36
上野誠版画集『原爆の長崎』のこと　41

田村義也と、巡る人びと

一四〇〇冊の本を編集装丁した田村義也さん　51
古地図の地名が動いた　60
文字、色、人の輪……田村塾　64
ふたりの編集者　67
上野英信展余聞：谷川雁の影　75

杉浦康平山脈

谷村彰彦　85

踊る編集者　追悼　室野井洋子　91

岡留安則、『噂の眞相』、杉浦康平　95

駆けぬけて六十余年、杉浦康平と仲間たち……　100

編集単行本主義

編集単行本主義　107

松本昌次さん　112

最強のクロニクル編集者の戦死　116

いつしか新しい灯台に向かっていた外回り社長　119

平野甲賀さんが残した描き文字　121

大木茂写真集『汽罐車――よみがえる鉄路の記憶 1963-72』のこと　126

空と声の記憶

山尾三省 135
如月小春 153
小林トミさん 160
見残しのひと 167
通り過ぎていった小沢信男さん 176
一冊の本を遺していった…… 181

映画・村山四兄弟

二つの事件と二〇六本目の映画 189
映画四兄弟 196
村山新治と佐伯孚治 200
記録映画『アメリカの家庭生活』と三冊の本 209
小さな映画会 217

梅宮辰夫と村山新治　226
村山新治、三鷹発二〇時二三分　231

山の作家・宇江敏勝とともに歩む
熊野へ　241
山の人生　山の文学　作家・宇江敏勝　247
文芸同人誌『ＶＩＫＩＮＧ』と宇江敏勝さん　252
山の作家が歩いてきた道　257
百年の物語・森の奥からかすかに響く音――そして、山びこ学校と大逆事件　264
街を歩く　新村、千歳……　269

小さな美術館、未来へ
サーカス博覧会が丸木美術館にやって来た　275
美術館学芸員の仕事　285

小さな美術館から未来へ、走る　289
美術館学芸員作業日誌、刊行　292
『未来へ』が未来へ運ぶ「ことば」　298
「いま、これをやらないと後悔するから」――村山恒夫さんのこと　黒川　創　304
あとがき　村山恒夫　312
新宿書房刊行書籍一覧　1970-2020　315

凡例

一、本書は、新宿書房ホームページの「百人社通信」に公開されたコラム「三栄町路地裏だより」「組板橋だより——本、映画、本、また映画へ」よりテーマにそってまとめたコラムと、新聞、雑誌などに発表した文章を収録した。本書に収めるにあたって、本文は大幅に加筆訂正した。なお、文末に記した日付は、該当コラムが公開された年月日である。

一、本文中の団体名、地名などの固有名詞は、コラムを執筆した当時のままとした。本の定価は本体価格を表示した。

版画　moineau

百人社の三冊から始まる

百人社の三冊

四〇年以上昔のお話です。平凡社に一〇年在籍して退職し、その後、独立したことは前にも書いたことがある。一九八〇年の夏のことだ。父・英治が経営していた教育文化映画の会社、桜映画社の分室の一隅に机と電話をおいて、ひとり出版社を始めた。住所は新宿区西新宿三—三—一一杉本ビル六〇三であった。出版社は机と電話一つあれば始めることができる、と昔からよく言われたものだ。

社名は「百人社」という名前にした。いま、考えるとなぜこの名前をつけたのか、たしかな記憶がなく、その理由も判然としない。事務所があったところが大久保駅に近く、いまやコリア・タウンの一部になっている百人町があったからか、あるいはバートランド・ラッセルの核廃絶運動組織の百人委員会（Committee of 100）にちなんだのだろうか。あるいは単純に、ともかく百人の予約賛同者、定期購読者を集めて一冊の本を出そう、そんな気持ちがあったからかもしれない。

最初の本の装丁を頼んだ編集装丁家の田村義也さんには、「社員は本人ひとりしかいないのに百人社か」と後々までずいぶんからかわれた（田村義也『のの字ものがたり』朝日新聞社、一九九六年）。

この百人社の名前は、新宿書房のHPのコラムの集合タイトル「百人社通信」として、いまもひそやかに存在している。
今回、国立国会図書館サーチで調べてみると、一九六五年一〇月に出版された『政界群像――地方政界の俊秀たち』（佐藤仁彦編）という本が、愛媛県立図書館にあり、なんと「百人社」という版元から出ていることがわかった。当時はまったく知らなかった。同サーチによれば、この百人社はその本しか出していない。しかも、価格（頒価）不明とあり、書名から推測すると、書店売りした書籍ではないのかもしれない。
この百人社時代のことを思い出させてくれたのは、最近出た二つの図書のおかげである。
遠藤哲夫「おれの〈食の考現学〉」（『現代思想』（特集「考現学とはなにか」、二〇一九年七月号、青土社）
吉見俊哉『アフター・カルチュラル・スタディーズ』（青土社、二〇一九年）
遠藤哲夫（エンテツ）さんは生活料理人・食文化史家の江原恵（えばらけい）（一九二八〜）さんの弟子のような人らしく、『大衆食堂の研究――東京ジャンクライフ』（三一書房、一九九五年）や『ぶっかけめしの悦楽』（四谷ラウンド、一九九九年）などの著作がある。遠藤さんはこのエッセイの中で、百人社刊の江原さんの本を紹介してくれた。
東京大学大学院情報学環教授の吉見俊哉さんは、学生時代に「劇団綺畸（きき）」に所属し、如月小春作の「家、世の果ての……」の公演（一九八〇年六月）ではスタッフ（裏方）のひとりを務めている。一九八二年に刊行した如月小春デビュー作『如月小春戯曲集』（新宿書房）の「上演記録」の中には、若き日の吉見教授の名前が「舞台監督」として記載されている。今回の『アフター・カルチュラル・スタディーズ』には、二〇〇〇年一二月に四四歳で死去した如月さんの追悼集『如月小春は広場だった――60人が語る如月小春』（新宿書房、二〇〇一年一二月）に吉見さんが寄稿した文章が、「劇つくりの越境者――追悼・如月小春」として再録されている。

さて、百人社時代に話を戻そう。百人社刊、新宿書房発売の本は次の三冊である。

一、田村紀雄著『明治両毛の山鳴り――民衆言論の社会史』

一九八一年三月三一日、百人社、A5判上製。装丁は田村義也さん、巻頭の絵地図「両毛地方の風土と人々」は映画監督の松川八洲雄さんにお願いして描いてもらった。松川さんのお宅があった九品仏に絵をいただきにうかがった。『田村義也　編集現場115人の回想』（田村義也追悼集刊行会、二〇〇三年）では、私はこの時の田村装丁の作業について「古地図の地名が動いた」（本書六〇頁参照）という文を書いている。

二、阿奈井文彦著『アホウドリの人生不案内』

一九八一年七月一日、百人社、四六判上製。造本は中垣信夫さん、イラストは安西水丸さん、写真は渡辺克巳さん。安西水丸は平凡社時代の同僚だ。〈一流の無名人を　二流のルポライターが訪

ね　三流の文化人が　ここにチョーチンモチ。「アホウドリがあなたの股ぐらをくぐりぬける！」〉とは、永六輔さんの帯文から。

阿奈井文彦（一九三八〜二〇一五）さんとは平凡社時代からの付き合いがあった。平凡社では百科年鑑の編集だけでなく、ＰＲ誌の『月刊百科』の編集も同時にやらされていた。石子順造さんと組んで「ガラクタ百科」も当時連載中だ。そしてもう一つ連載コラムを始めた。そのタイトルは石井研堂の『明治事物起原』にならって、「現代事物起源」とした。最初は自分で原稿を作り、連載を始めた。主に新聞、そして週刊誌の切り抜きを集め、見開き二頁の「現代事物起源」を一九七八年から始めた。しばらくして一応、形ができたので、あとは阿奈井さんにバトンタッチ。誕生したモノ、始まったモノは記録されるが、やめたモノ、消えたモノは得てして記録されることが少ない。このため新聞切り抜きサービス専門の内外切抜通信社という会社に頼んで月一回ごとに希望する記事の切り抜きを送ってもらった。この内外切抜通信社、検索するといまも健在とわかり、うれしくなった。連載はその後続いて、阿奈井文彦編『現代事物起源――生まれたモノ・消えたモノ１９７８→１９８７』（平凡社、一九八八年）として出版された。

三、江原恵著『【生活のなかの料理】学――江原式新日本料理のすすめ』

一九八二年二月二〇日、百人社、Ａ５判並製。装幀は杉浦康平さんと谷村彰彦さん、イラストは渡辺冨士雄さん。「生活料理」「生活料理学」「生活のなかの料理学」と、著者の揺れがタイトルの表記・デザインに出ている。江原さんは一九八一年に、生活料理の実験店〝しる一〟を渋谷東急本店前のビルの中にオープンしたところだった。

百人社を始めてしばらくすると、当時まわりは映画屋さんばかりで、専従の編集者のいない新宿書房の編集も並行して手伝うことになる。一九八一年の一〇月には、『野中の一本杉——市川房枝随想集Ⅱ』（造本＝中垣信夫）を出した。そして、一九八二年には、前述の百人社の江原恵著『【生活のなかの料理】学』（二月）、如月小春著『如月小春戯曲集』（六月、装丁＝赤崎正一）、『市川房枝というひと——一〇〇人の回想』（九月、造本＝中垣信夫）、原秀雄著『日没国物語——新ユートピア』（一〇月、装丁・イラスト＝たむらしげる）、野本三吉著『風の自叙伝』（一〇月、装丁＝田村義也）、遠藤ケイ著『雑想小舎から』（一一月、イラスト＝遠藤ケイ、装丁＝吉田カツヨ）、立木鷹志著『虚靈』（一一月、造本＝中垣信夫）と七点を出版した。この間の五月には百人社を新宿書房に統合して、事務所も桜映画社から離れ、千代田区九段南に移転した。『如月小春戯曲集』は百人社後の、九段南から生まれた最初の新宿書房の本である。

『百人社通信』のこと

もう一度、百人社の本のことに戻ろう。百人社では新刊本や注文のあった本に挟む（投げ込む）小冊子『百人社通信』をわずか二号までだけだが出している。この小冊子のことを「月報」「付録」「栞（しおり）」と呼ぶこともある。単行本の中や見返しに同梱（投げ込み）される別刷の印刷物である。

『百人社通信』第一号、一九八一年六月一五日、縦一八〇ミリ×横一一三ミリ、一六頁、定価＝百円

これは阿奈井文彦著『アホウドリの人生不案内』に投げ込まれた。目次内容は以下のようになっている。

＊「モッ」と粋の相関関係　安宇植
＊還俗の生きざま—藤岡慶秋さん　野本三吉
＊民衆言論の海溝　田村紀雄
＊子ども番組史を掘る　佐々木守
＊渋谷〝しる一〟開店舌代　江原恵
＊パリのチャイナタウン考　山口文憲

そして、最終の一六頁には、●発行人＝村山恒夫、●題号の題字＝田村義也、●印刷製本＝理想社印刷所、と明記されている。ちなみに、この通信は活版印刷である。

『百人社通信』第二号、一九八二年一月一日、一六頁、定価＝百円

＊クマさんの唄―阿部彬さん　野本三吉
▲書評再録（その一）『明治両毛の山鳴り』（『毎日新聞』一九八一年四月二〇日）
＊「モッ」と「恨」の相関関係　安宇植
＊冬崖の死　酒井忠康
△近刊　江原恵『料理の生活学―江原式新日本料理のすすめ』
＊アイヌの居留地・多蘭泊コタンを訪ねて　大塚和義
△市川房枝の本　三冊　好評発売中
＊もう一つの日韓交流、この一年　阿奈井文彦
▲書評再録（その二）『アホウドリの人生不案内』（『信濃毎日新聞』『ブルータス』）

小冊子の目的はいわば本を購入してくれた読者への通信で、既刊の書評、評論、これから刊行予定の本の著者によるエッセイなどを掲載することである。この二号で終わった『百人社通信』は誌名を『日没国通信』とかえて再出発する。この誌名は一九八二年一〇月に出た、原秀雄さんの『日没国物語』からとったものだ。『日没国通信』一号は一九八三年一月三一日で、最終号の第一二号は一九八六年五月一〇日に出ている。

一九七〇〜八〇年代はPR誌ブームだったという。出版社のPR誌『図書』（岩波書店）、『みすず』（みすず書房）、『未来』（未來社）そして『月刊百科』（平凡社）だけでなく、大手企業のPR誌

『エナジー』（エッソ・スタンダード石油）、『グラフィケーション』（富士ゼロックス）などが、豊富な予算のもと、贅沢でビジュアルな内容で発行していた。

零細出版もなんとか読者に声を届けようと、こうした小さな月報を新刊書に挟んで出していたのだ。まだワープロも普及していない、ネットもない時代のことだった。ところで、新宿書房では、刊行中の「宇江敏勝　民俗伝奇小説集」（全一〇巻のうち九巻既刊）の第七巻『熊野木遺節』（二〇一七年）、第八巻『呪い釘』（二〇一八年）、第九巻『牛鬼の滝』（二〇一九年）に月報を投げ込んでいる。

［2020. 4. 4］

清田義昭、田仲のよ

映画評論家の山根貞男さんが『村山新治、上野発五時三五分』の書評を書いてくれたのは『出版ニュース』誌の二〇一八年九月中旬号だ。同誌の「Book Hunting 2018」に「東映リアリズムと叙情」と題する二頁にわたる大書評だ。その『出版ニュース』誌が二〇一九年三月下旬号をもって休刊するという。

「後継者の不在、赤字が続いていた」ことが理由だという。月三回発行で、出版業界の統計調査、動向、書評などを紹介してきた同誌だが、この休刊のニュースは多くの出版人には少なからぬ衝撃を与えたと思う。いまの出版界の状況を反映した象徴的な出来事である。出版ニュース社は同時に年刊の『出版年鑑』も、二〇一八年八月に刊行した「二〇一八年版」をもって休刊にした。われわれは、七〇年の歴史ある、出版界、読書界の過去・現在・未来を考えるための羅針盤をここで失うことになる。

出版ニュース社の清田義昭代表と『出版ニュース』誌には、いろいろお世話になってきた。一番の思い出は清田さんのおかげで『海女たちの四季』が出版できたことだろう。一九八二年の後半の頃だろうか。すでに個人版元の百人社を新宿書房に統合し、事務所は一九八二年五月に新宿区西新宿から市ヶ谷駅近くの千代田区九段南に移転していた。ある日、清田さんから電話があり、読んでほしい原稿がある、会ってくれないかと言われた。

その頃、出版ニュース社は、西神田の運送会社のビルの中にあった。清田さんとは平凡社時代からの付き合いがあり、事務所にうかがって原稿を読ませていただくことにした。なんでもすでに何人かの編集者に声を掛けたが、色よい返事がもらえなかったようだ。ある雑誌に一年間連載された、千葉の海で働くひとりの海女の自伝風の読み物だという。

持ち込み原稿は持ち込まれたこの段階で、その内容についての評価・判断がおおかた下されているわけである。私のようなところまで下りて来るまでに、さまざまな編集者がすでに読んでいるはずで、その結果、みなNGのサインを出している。たぶん、「著者が無名だからダメだ」「内容はいいが、地味で売れない」「原稿の手直しがものすごくかかる代物」「すでに雑誌で連載されている、もう新鮮味がない」「いくつかの類書があり、いまさらわざわざ出すこともないだろう」、エトセトラ、エトセトラ。それらを承知で、私はまっさらな気持ちでこの原稿に対面する。

ここで私はある本を思い出す。『まことに残念ですが…——不朽の名作への「不採用通知」一六〇選』(徳間書店、一九九四年)。いまは名作と言われる本でも一度は出版を断られた歴史があるという。本書は編集者から著者にあてた断りの手紙、不採用通知の傑作選だ。だから、いつも編集者は緊張する。そして、得てして失敗する。

原稿は月刊誌『記録』に一九八二年一月号から一二月号まで連載された、田仲のよ「海女たちの四季——その生活と労働」であった。『記録』の発行元は記録社。庄幸司郎、本多勝一、松本昌次の三人を同人とし、発行人はあの庄建設の庄幸司郎さん、編集者は横須賀忠由さんひとり。この雑誌『記録』は一九七九年四月に創刊され、九二年一〇月号、通巻一六三号で終刊している。

単行本の編者となる加藤雅毅さんは、当時、テレビ朝日系のテレビ朝日映像に勤務していた。加藤さんは一九八一年に千葉県立安房博物館（現館山市立博物館分館）の依頼で、『房総のあま・その漁撈習俗』という記録映画を撮った。その製作途中で、千葉県の千倉町漁協七浦支所の婦人部だより『みちしお』に掲載された田仲のよさんの「海女生活三十五年の思い出」の文章に出会う。千倉町白間津の海女である田仲のよさん。彼女の文章に惚れ込んだ加藤さんは、のよさんにこの続きを書くよう強く勧める。『記録』にのよさんが本文を書き、その解説を加藤さんが書く、その結果、連載が一年間一二回も続いた。預かったのはその連載のコピー原稿だった。

私は編者の加藤雅毅さんに会いに行く。彼は後にでき上がった本にも書いているが、のよさんの原稿をこのように評価して強く売り込んできた。「野の人、山の人に較べ、海に生きる人自身の手になる記録は少ない。ここに紛れもない漁の民の記録があるのではないか」（「編者あとがき」より）

私はこの惹句に負けた。

連載の原稿をのよさんの本文だけにまとめて、巻末に加藤さんの解説を置く構成案にして、出版することにした。一九八三年四月に、田仲のよ著、加藤雅毅編『海女たちの四季――白間津・房総半島海浜のむらから』という書名で刊行した。天地一八六ミリ×左右一四八ミリの上製本、二五六頁。当時「愛蔵版」といわれた判型だ。装丁はのよさんの甥の三田栄さん。

初版刊行の時、加藤さんはこれは絶対、網野善彦さんに読んでもらおうといいだした。いままで、水際の浜辺まで下りていった民俗学者はいたけど、海の中まで目を配った学者はいない、網野さんはよろこんでくれる、と。吉祥寺の井の頭線のガード下の飲み屋で会い、ゲラをわたしてお願いした。

帯の表四には網野善彦さんの文章が載っている。そこから抜いた網野さんの言葉を帯の背と表一にも抜き出して使う。「六〇歳の現役海女が書いた海の自叙伝（背）、海女自身の貴重な記録　すぐれた自伝文学（表一）」

初版本が出てから網野さんは雑誌『列島の文化史』（日本エディタースクール出版部）などで、いい本だ、大事な本だと援護宣伝してくれた。二〇〇〇年大いに売れた『「日本」とは何か』（講談社）でも、ふたたび何行かをさいて、「太平洋・日本海を移動する海民」を考える本として、本書を紹介していただいた。

網野さんのことはいまさら、説明することはないだろう。都立高校の教諭をへて、中央の学会・大学から遠く離れ、その研究フィールドも陸（おか）から、歴史学者がだれも目を向けなかった漁村や浜に下りていった人だ。一九七八年、五〇歳の時、平凡社から『無縁・公界・楽――日本中世の自由と平和』を刊行、学者だけでなく、一般読者の間で大きな反響をよぶ。八〇年には神奈川大学短期大学部教授となる。八二年には神奈川大学に日本常民文化研究所が招致され、その所員となる。このあたりで、加藤さんは網野さんに出会ったという。

一九八二年に野本三吉さんの『風の自叙伝——横浜・寿町の日雇労働者たち』(装丁=田村義也)を出している。私はその野本さんから、寿町の夜間学校の講師に呼ばれた網野さんについての愉快なエピソードを聞いている。日雇労働者たちを前に「君たちの先輩である漂白民や職能民は天皇の仲間だ。だから君たちも天皇の仲間だ」とアジって、ヤンヤの喝采を浴びたという。

田仲のよさんは一九九六年に亡くなり、加藤雅毅さんも九九年に亡くなる。二〇〇一年四月に、加藤さんの「田仲のよさんへの弔辞」を収録した新版を、装丁も新たにして出版した。

そして、網野善彦さんも二〇〇四年に亡くなられている。

[2019. 3. 3]
[2020. 5. 15]

済州島から続くチャムスの海の道

田仲のよさんの本からもう一冊の海女の本が誕生している。『海女たちの四季』の朝鮮人海女の章を読んだ在日の若いふたりの女性が、加藤雅毅さんに連絡をとり、のよさんを訪ね、地元の朝鮮人海女（チャムス、済州島では海女のことをこういう）を訪ね歩いたのが、一九八八年に刊行した『海を渡った朝鮮人海女』である。私のボロ車で彼女たちは房総半島にでかけていった。

ふたりは五年をかけて千葉の房総半島に生きるチャムスのオモニ（お母さん）を探して丹念に取材したものだ。

彼女たちの取材地は外房の勝浦、天津（あまつ）、太海（ふとみ）、和田浦、千倉、また内房の保田（ほた）、金谷、竹岡、以上の八ヶ所で、済州島（チェジュド）出身の二八人のチャムスに出会うことができた。

本書は第八回（一九八八年度）山川菊栄賞を受賞している。

済州島のチャムスの人数についてはこんな報告がある。

一九七〇年―一万四一四三人

二〇一二年―四五七四人

二〇一六年―四〇〇五人

つまり、この四六年間に七割も減少している。しかも高齢化が進み、七〇歳以上の老チャムスは実に全体の六割を占めるという。

一方、日本の海女の数については、二〇一〇年現在だが、以下の報告（鳥羽市立海の博物館の調査による）がある。千葉県や三重県など一八県に二一七四人の海女がいるという。この数字は四〇年前に比べると六分の一で、このうち九七三人は三重県の海女だ。

済州島のチャムスは一九三〇年代に海を渡って日本の各地の海岸に出稼ぎに来ていた。その数は五〇〇〇人を超えたという。日本の海女の北限は岩手県の久慈といわれる。そう、あの朝の連続テレビ小説『あまちゃん』の舞台だ。

著者の金栄（キム・ヨン）さんと梁澄子（ヤン・チンジャ）さんは、戦後になっても房総半島の漁村に残って海の潜りを続けてきた年老いたチャムスたちの生の声を丹念に聞き集めた。彼女たちチャムスの技と歴史を一冊のドキュメントにしたのだ。

一九九〇年代に入ると、日本と韓国にしかいない「海女の技と暮らし」を、ユネスコの世界無形文化遺産に登録しようと、日韓共同の活動が始まる。日本は韓国と同時登録を目指していたが、日本側が世界遺産申請への条件だった国の重要無形文化財にまで至らなかったため、それは叶わなかった。しかし、国内条件のそろった韓国はユネスコに申請し、二〇一六年一一月に、韓国済州島の「済州海女文化」がユネスコの世界無形文化遺産に登録された。

一方、日本の海女は、ようやく二〇一九年五月二〇日、文化庁の「日本遺産」に「海女（Ama）に出逢えるまち　鳥羽・志摩〜素潜り漁に生きる女性たち」が認定された。地元ではこの認定を、ユネスコの世界無形文化遺産登録への追い風にしたいようだ。いま鳥羽・志摩には、以前よりさらに減ったが、約七五〇人の海女がいるという。

ソウルオリンピックが行われたのは一九八八年の秋だから、その前年の一九八七年だったか、編集装丁家の田村義也さんご夫妻とわれわれ夫婦の四人で、三泊四日の済州島の観光旅行に行ったことがある。田村さんは、以前から済州島の「四・三事件」に関心があり、しかも友人の在日作家・金石範さんの、「四・三事件」を題材にした作品『火山島』（全七巻、文藝春秋、一九八三〜九七年）の装丁をしている時だった。ちなみに金石範さんの田村装丁第一作は『鴉（からす）の死』（講談社、一九七一年）である。

成田から済州島へ。滞在二日目、主峰の漢拏山（ハルラサン）の裾野をめぐる島一周のドライブのために、ホテルでタクシーをチャーターしてもらった。ドライブは島を反時計回りに進み、ランチは運転手の案内で田舎の料理屋でとった。一日が終わる頃には、日本語の少し話せる人のいい運転手とすっかり仲よくなり、夕食は波止場に面した海鮮料理店を教えてもらう。翌日も同じ運転手に案内をしてもらった。この日のランチは、運転手がよく行く、町の冷麺屋に案内してもらい、五人で美味しい黒い本格冷麺を食べることができた。

北東の海岸近くに来た時、彼が言った。「ここの海岸を下りていくと、海女がいるよ。岩陰でアワビなどを食べられるよ」ここで私たちは初めてチャムスのおばさんに会うことができたのだ。そんなこともあって、翌年刊行した『海を渡った朝鮮人海女――房総のチャムスを訪ねて』の装丁を田村義也さんに頼むのは自然の流れだった。

梁澄子さんは、在日韓国人として一九九〇年以降、従軍慰安婦問題に深く関わって活躍されている。

また、「伊藤詩織さんの民事裁判を支える会」の世話人も務めている。

[2020. 10. 2]

自前のメディアをもとめて　明治両毛の山鳴りから

コロナ禍の五月の連休も終わり、郵便物などのチェックのため一週間ぶりに事務所に。その中に、田村紀雄著『自前のメディアをもとめて――移動とコミュニケーションをめぐる思想史』（編集グループＳＵＲＥ、二〇二〇年）があった。著者からの贈呈本だ。

実は昨年末（二〇一九年）に、ＳＵＲＥの北沢街子さんから電話があって、「いま田村紀雄さんと一緒なんです」といい、田村さんがその電話に出られて、久しぶりにお話をしたことがあった。たいへんお元気な声だった。なにか、ＳＵＲＥで企画が進んでいるのかなとは思ったが、この本が送られてきて驚いたというわけだ。さらにＳＵＲＥからは、新刊のチラシの入ったＤＭも送られてきた。

このチラシのキャッチコピーとこの本の「あとがきにかえて」を読むと、本の誕生の舞台裏がわかる。昨年一一月、一二月の三回にわたる著者（田村紀雄）へのインタビュー（聞き手・ＳＵＲＥ編集部＝黒川創・瀧口夕美・北沢街子）は、合計二〇時間近くにも及んだという。田村さんはこのインタビューに対して、事前に詳細なシラバス（講義内容）を用意したそうだ。

田村紀雄（一九三四〜）さんは、今年九月に八六歳を迎える。社会学者にして、ノンフィクション作家。一九九五年に東京経済大学新設のコミュニケーション学部の初代学部長、そして二〇〇五年定年退職、名誉教授に。

さて、本書は三章に分かれている。

第一章　「動機」の個人史──『明治両毛の山鳴り』（一九八一年）に至るまで
第二章　自立したメディアの水脈──『ガリ版文化史』（一九八五年）の周辺
第三章　越境と再定着への道程──『移民労働者は定着する』（二〇一九年）の視野

三冊の著書を柱にしながら、問答形式による構成になっていて、「広く読者にわかりやすい、田村さんの独創的な〈コミュニケーション思想史〉の本」になっている。チラシの表現を借りると、「現役で続ける仕事の全貌を、いま初めて語り尽くす、自伝的連続講義！」となる。

目次構成を内容から見てみる。

第一章　社会主義者、クリスチャン、鉱毒農民らが創り出した両毛地方の民衆言論、地域に根ざす民衆史

第二章　小さなメディア、そのツールとしてのガリ版印刷
第三章　移民社会と日本語新聞

私は『明治両毛の山鳴り――民衆言論の社会史』（百人社）、『ガリ版文化史――手づくりメディアの物語』（志村章子さんとの共編著、新宿書房）の二冊までしか、田村さんとは伴走できなかったが、この新刊を読んでみて、あらためて大きなすそ野が広がる「田村民衆言論史研究」の全体像がわかったような気がした。

田村さんの仕事は、田中正造と足尾鉱毒事件をめぐる地域史研究に始まり、自立した小さなメディアに着目してのコミュニケーション論の展開、海外移民の再定住に至るプロセスのフィールドワークなど、とどまるところを知らない領域の広さを示しています。同時に、ここには、困難のなかでも懸命に活路を切りひらいて生きた、名もなき人びとの運命の軌跡を明らかにしておきたいという、学問上の動機と熱意が一筋のものとして貫かれています。

（SUREのチラシより）

田村さんのパーソナル・ヒストリーから、いくつかのことを知った。最初の高校、栃木県立栃木高校時代の一年生の時、生徒会長が宇井純（ういじゅん）（一九三二〜二〇〇六）だ。ここで教員三人のレッドパー

ジを目撃。二年の時に群馬県立太田高校に転校。高校卒業後、家庭の事情で働き始め、法政大学社会学部に入学したのは、二二歳。卒業は二五歳で、以後フリーライターとして働く。定職の東京大学新聞研究所助手になったのは、一九六六年、三二歳の時だ。

太田高校在学中の面白いエピソードを知る。「当時は、丸木位里・俊夫妻の《原爆の図》を、各地で展示して歩くというのが、日本の平和運動のひとつのツールだったんです。それを太田でもやった。高校三年のときです」（『自前のメディアをもとめて』一二頁）。この巡回展は、岡村幸宣著『《原爆の図》全国巡回』（新宿書房、二〇一五年）からもウラが取れる。それによると、一九五二年八月二八日〜三一日まで、太田市・太田小学校で開かれた「原爆の図展」のようだ。八月二八日の『上毛新聞』に同展の記事が記載されている。

『自前のメディアをもとめて』では、『明治両毛の山鳴り』と『ガリ版文化史』のカバーの表紙画像をそれぞれ一頁大に掲載してある。最後にこの二冊の装丁の裏話をしよう。

『明治両毛の山鳴り』のタイトルでは、私が出した案に、装丁者の田村義也（一九二三〜二〇〇三）さんから、ことごとくNGが出て、難航。イメージのわかないタイトルはダメだと却下。タイトルは副題がないほうがいい。編集者はタイトルに自信がないから副題で説明しようとする。これも義也さんの意見。

明治の両毛地方を舞台に小さな民衆メディアをかかえた若者たちが、中央（東京）に直結させるのでなく、横から横へ、町から村へと歩く、社会主義思想をひろめる「ヴ・ナロード（人民の中に行く)」の運動を展開しようとしていた。その動きは初め小さくて静かなものだが、やがて大きなうねりとなって音をたて、山をも動かす力となる……。こんなイメージで表現できる、なにかいい言葉がないだろうか。

「海鳴り」「雷鳴」「地鳴り」「高鳴り」……。そのうち、鉱山用語にもある、「山鳴り」という言葉を見つけた。「山鳴り=地震、噴火の前触れとして、山が音を立てること」。おー、これだ。これがいい!

こうして、『明治両毛の山鳴り――民衆言論の社会史』のタイトルは生まれた。

さて、『ガリ版文化史』のこと。それは装丁者のことだ。カバーのバックは四国謄写堂の謄写版鉄筆用原紙(四ミリ方眼)、つまり未使用のガリ版のろう原紙を縮小して使用した。

題字はカバー・表紙とも孔版家の水谷清照さんにガリ切りをしてもらった。表紙の表の筆耕文字は孔版家の草間京平さん、裏の筆耕文字は同じく孔版家の若山八十氏さん。ところが、装丁者の名がどこにもない。いまここで初めて明かすが、装丁者はこの私だ。編集者自装である。版下はポンチ絵のような指定紙を書いて、印刷所の福音印刷(現フクイン)に渡し作ってもらった。本文印刷は理想社印刷所(現理想社)、活版印刷である。

『明治両毛の山鳴り』は、私が独立して作ったひとり出版社・百人社の最初の本。なにもかも懐かしい本だ。本文は理想社印刷所で活版印刷、カバー・表紙・本扉・帯などの付物は栗田印刷

（その後、廃業）。このあたりのことは装丁の田村義也さんの著書『のの字ものがたり』（朝日新聞社、一九九六年）にくわしい。

帯の表のキャッチは次のようだ。「明治両毛（りょうもう）の大地に生きた田中正造、森鷗村。そして高畠素之、長加部寅吉らの青年たちと無数の鉱毒農民。彼らはさまざまなサークルをつくり、明治国家に対峙した。彼らが創り出した、うた、手紙、ビラ、小雑誌、小新聞を「民衆誌学」という視角でとらえ返した力作！」自分で作ったコピーを褒めるつもりはないが、うまくまとめている（自画自賛）。

そして、帯の裏には鶴見俊輔さんが文章を寄せている。

本書は両毛に生きた明治の青年たちが、いかに自分たちの言論（オピニオン）をつくり伝えていったかを、あくまでも両毛の地域の眼（ミニコミとパーソナル・コミュニケーション）を通してたどった労作である。方法上の吟味がゆきとどいているので、思想史に関心をもつ人々に強く働きかける力をもっている。

田村紀雄さんは鶴見さんたちが始めた『思想の科学』の会員であり、同誌に数多くの文章を寄せている。そのことが今回のＳＵＲＥの新刊『自前のメディアをもとめて』の企画の出発点にあったにちがいない。

また田村さんは、社会学者にして、ノンフィクション作家という形容がよく似合う。いや、ノンフィクション作家にして、社会学者か。『明治両毛の山鳴り』の最初の「序　民衆言論史への布石」は書き下ろしだが、九つの文章は過去一二年にわたって雑誌などに書かれたものだ。

この書き下ろしの「序」は本書の構成をまさに俯瞰している。そして、民衆資料を体系的に発掘し、批判的に吸収してゆく方法論として、「民衆誌学」を提唱しているのだ。

冒頭の脚本家・映画監督の松川八洲雄による絵地図「両毛地方の風土と人々」。この松川さんの絵地図がいい。両毛（りょうもう）（毛の国の上毛野と下毛野、いまの群馬県と栃木県）地方とは、東は碓氷峠から西は谷中村（やなかむら）までの地域で、河川でいうと利根川水系と足尾銅山の上流から始まる渡良瀬川にかこまれた地域である。松川絵地図の上には、市・町・村、それとキリスト教の教会、主要人物、転入者の名前が落とされている。JRには「両毛線」（栃木県小山駅〜群馬県新前橋駅）があるので、両毛地方のことはある程度イメージできるかもしれない。

この地図の一番右側に「谷中」の文字がある。谷中村のことで、一九〇六年（明治三九）に足尾銅山の鉱毒を沈殿させるために計画された渡良瀬遊水地建設のために、強制的に廃村にされた。その際、下都賀郡藤岡町に編入され、いまは栃木市藤岡町になる。このかつての谷中村の片隅に「田中霊祠（れいし）」がある。田中正造の分骨と夫人を祀った神社だ。『明治両毛の山鳴り』ができたばかりの一九八一年四月の例祭日に、東京から新刊本を車に積み、荒地の広がる境内で売ったことが懐かしい。

今回、久しぶりに『明治両毛の山鳴り』をじっくり読んだ。やはり、田村紀雄さんはノンフィクション作家にして、社会学者だ。ノンフィクションの中にアメリカ社会学概念を大胆に注入して分析している。ある意味の社会集団論だ。同書にあるチャートはそれをよく示している。それと、この本で、とりあげている雑誌の中では、『東北評論』のことと新村忠雄（一八八七〜一九一一）のことが一番気になる。新村は長野県埴科郡屋代町から信越本線に乗って、高崎にあった東北評論社に通う。『東北評論』の最終号（第三号、一九〇八年（明治四一））で急遽、印刷の名義人になり、新聞紙法違反で告訴され、前橋刑務所に入獄。さらに一九一〇年（明治四三）の大逆事件に連座、翌年死刑執行を受けた。この新村のことはまたの機会に書いてみるつもりだ。

［2020. 5. 9］

ガリ版印刷の歴史・文化を刻む

前項で、田村紀雄さんの新著『自前のメディアをもとめて——移動とコミュニケーションをめぐる思想史』（編集グループSURE、二〇二〇年）を取り上げた。この本の中で一章をさいて紹介されている『ガリ版文化史——手づくりメディアの物語』（田村紀雄・志村章子編著、新宿書房、一九八五年）は、『明治両毛の山鳴り——民衆言論の社会史』（百人社、発売＝新宿書房、一九八一年）の編集途中から生まれた本である。同書の帯にあるように「日本で生まれたガリ版についての初めての文化史」である。幸い、たくさんの書評もいただき、わずかではあるがすぐに再版（二刷）もできた。

いま在庫があるのは三刷目の本。日付は二〇〇二年七月三〇日、事務所の住所も以前の四谷の三栄町。この時の重版にふれた昔のコラム（一つは私の、もう一つは志村章子さんの）が残っている。

実は二つのコラムが出た後に、大変なことが起きたのである。日本で生まれたガリ版（謄写版、孔版）印刷。これは一八九四年（明治二七）に堀井新治郎が東京・神田鍛冶町に「謄写堂」を創業したことに始まる。謄写堂は一九一五年（大正四）に謄写版（鉄筆版）の基本特許権が切れ、後発メーカーが大量に参入してきたため、商号を「堀井謄写堂本店」と変更した。その後、堀井謄写堂株式会社となり、一九八五年にホリイ株式会社となった。

この二〇〇二年の春だったか、ホリイの総務の方から連絡をいただいて、創業地の神田鍛冶町にそのままある本社にうかがい、『ガリ版文化史』三〇〇部の注文をいただいた。なんでも夏にある催しが計画されているという。初版からすでに一七年が過ぎ、当時は「品切れ在庫なし、重版未定」の状態だった。七月に入り、特製函入りの注文三〇〇部を納品し、後日ホリイにうかがって、集金もすんでいた。ところが、ホリイは九月二五日に突然倒産したのだ。八月にあったという、その催しとはいったい何だったのだろうか。ホリイ（謄写堂、堀井謄写堂）は創業一〇八年目にして倒産した。


『ガリ版文化史』の刊行のあと、志村さんはガリ版史研究家として大いに活躍される。ガリ版印刷は一九六〇年あたりを境に徐々に下降線をたどる。一九八七年（昭和六二）、堀井謄写堂は謄写版の生産を中止した。さらに一九八九年（平成元）、四国謄写堂は原紙の生産を中止している。この間、戦後に謄写版印刷業として創業した理想科学工業が、一九七七年に「プリントゴッコ」（感熱式多色簡易印刷器）を発売した。年賀状印刷のため銀座伊東屋の前にこれを求めて多くの人々が並んだのも、毎年恒例の歳末風景となった。しかし、このプリントゴッコも一九八七年をピークに、以後はパソコンやプリンターの普及に押され、二〇〇八年には販売が終了となった。

一九九五年、志村章子著『ガリ版文化を歩く——謄写版の百年』（新宿書房）を刊行。志村さんのガリ版研究は、「宮沢賢治とガリ版」、北方教育、戦後労働運動、神田の謄写版店、謄写版原紙の歴史、鉄筆メーカーの研究、さらに「ガリ版切手」、ドイツ兵の坂東俘虜収容所の「ガリ版印刷所」、東南アジアや中国でいまなお活躍するガリ版事情、と広がっていく。本書は各地の資料を発掘してあらたに明らかになった、「語りつがれるガリ版文化」をまとめたルポルタージュである。

書名タイトル文字と奥付文字と装丁は、同書に登場する山形在住のカリグラファー・冬澤未都彦さんの手になるものだ。各文末に参考文献がつき、巻末には「ガリ版印刷文化関係年表」「ガリ版用語集」もついてさらに充実してきた。

一九九四年　「ガリ版の一〇〇年――等身大のコミュニケーションツール」（展示会とシンポジウム開催　六月九日〜一二日　主催・東京経済大学）の企画に参加。謄写堂創業百年を記念したイベントだ。

一九九九四年　九月、謄写印刷愛好者の会「ガリ版（器材・情報）ネットワーク」を発足させる。

一九九八年　堀井新治郎旧宅（滋賀県東近江市蒲生岡本町）に「ガリ版伝承館」が開設される。

二〇〇八年　「新ガリ版ネットワーク」の活動がスタート。

二〇一二年　志村章子、『ガリ版ものがたり』（大修館）を刊行。本書は「志村ガリ版研究」の集大成である。ガリ版とそれにまつわる人びとの物語だ。

「忘れられた〝もう一つの〟謄写版」（『ガリ版ものがたり』所収）は堀井の謄写版から遅れること三年、山内不二門が始めた「山内式毛筆謄写版」についての貴重な記録である。

　志村章子さんの三〇年にわたるガリ版印刷・ガリ版文化研究によって、ガリ版（謄写版、孔版）の一〇〇年を超える歩みがほぼ明らかになってきた。ガリ版は戦争（日清、日露、日中、太平洋）や関東大震災の時期には印刷業の代替として、移動可能で簡単な軽便印刷器として大いに使われ、また同人誌や組合運動、教育運動では手作りメディアのツールとして大活躍した。また芸術・芸能の世界でも二〇〇〇年初めまで、芝居の台本、映画のシナリオやテレビ・ラジオの脚本作成には、ガリ版印刷が大いに使われていたのだ。


『ガリ版文化史』からスピンアウトして出版された本が二冊ある。『国会図書館月報』の連載コラムにならえば「本屋にない本」である。『ガリ版文化史』には、伊藤義孝「銀座伊東屋と反乱軍兵士」が、また『ガリ版文化を歩く』には「百歳、伊藤義孝さんの謄写版体験」が、それぞれ収録されている。銀座伊東屋も昔は謄写版を売っていた。文房具関係の業界誌の編集者であった志村さんは、伊東屋の伊藤義孝会長をはじめ、伊東屋のみなさんとたいへん親しかった。そんな縁で新宿書房は二冊の社史の製作・編集の仕事をいただくことになった。

『一業専念　伊東屋八〇年史』（『伊東屋八〇年史』編集員会編、伊東屋、一九八五年）、非売品。これは一九八四年六月一六日に創業八〇周年を迎えた記念に編まれたもの。執筆・編集＝志村章子、製

作・編集＝村山恒夫（新宿書房）、造本＝中垣信夫。
『銀座伊東屋百年史』（『銀座伊東屋百年史』編集委員会編、伊東屋、二〇〇四年）、非売品。執筆・編集＝志村章子、製作・編集＝村山恒夫（新宿書房）、造本＝中垣信夫＋豊田あいか（中垣デザイン事務所）。

つまり、同じメンバーが二〇年後に再結集して『銀座伊東屋百年史』の製作にあたったわけだ。

『銀座伊東屋百年史』の体裁はＡ５判、函入り。この中垣信夫さん渾身の造本・デザインを実際に手にとってみてほしいと思う。函は印籠型（いんろうがた）といい、斜めに切った上蓋を取ると書籍が出てくる。製本は松岳社青木製本所（現松岳社）、製函は箱守紙器。

この『銀座伊東屋百年史』は社史として高い評価を得た。「渋沢社史データベース」や、神奈川県立川崎図書館「すごい社史」でも紹介されている。

二〇二〇年一月に急逝した評論家・エッセイストの坪内祐三（一九五八〜二〇二〇）。雑誌『本の雑誌』三三九号（二〇一一年九月号）の特集は「社史は面白い！」だった。ここで坪内は「平成の社史ベスト１は『銀座伊東屋百年史』です」という文を寄稿している。

最後に一つのサイトを紹介しよう。「山形謄写印刷資料館」（山形ガリ版資料館）だ。

村山俊太郎、国分一太郎、無着成恭らが作り上げた山形の教育文化遺産だ。

［2020. 5. 22］

上野誠版画集『原爆の長崎』のこと

1

『闇に刻む光――アジアの木版画運動 1930s-2010s』。福岡アジア美術館（二〇一八年一一月二三日～二〇一九年一月二〇日）、アーツ前橋（二〇一九年二月一日～三月二四日）。前橋にも行けなかったが、ようやく先日カタログを入手。

一九三〇年頃、魯迅が企画し、中国から始まった木版画運動。日本、ベンガル、インドネシア、シンガポール、ベトナム、フィリッピン、韓国、マレーシアと広範囲にわたる木版画運動をひとくくりにし、いわば腕力を使って俯瞰した大展覧会だ。

企画主催した福岡アジア美術館の黒田雷児（筆名＝黒ダライ児）さんという方の情熱がヒシヒシと伝わる。以下、巻頭の黒田さんの文章から引用する。

木版画は、〈芸術品〉として（だけ）でなく、その技術的・経費的な簡便さによって、交通・複製・通信の手段が限られた時代から、画像による〈情報発信のメディア〉としての特性を持っている。

本展では〈上からの〉プロパガンダではなく、〈持たざる者〉にも可能な、メッセージを〈下から〉発信する手段として活躍した木版画の役割に注目する。

ここでいう〈木版画運動〉とは、美術家が自分の作品を〈展覧会〉以外の手段で広範な観衆に届ける、制作と普及が一体化した自発的、自立的な行動を意味する。

美術家は、展覧会よりもはるかに多く、かつ多様な〈観衆〉に到達するために、自作をポスターとして街頭に掲げたり、グループの結成やその機関誌（紙）・同人誌（紙）の発行という自前のメディアによってメッセージを発信したりする。

インターネットなき時代の、最も〈民衆的〉かつ〈民主的〉な画像メディアとして木版画が機能したことを意味する。

同カタログの掲載論文では、竹山博彦の「地方からの文化発信――北関東から全国に広がった版画運動」が注目される。一九四七年二月に東京の銀座三越で開催された「中国木刻展覧会」が多くの芸術家に衝撃を与えた。一九四八年に北関東で生まれた「刻画会」メンバーの呼びかけで、全国組織の「日本版画運動協会」が結成される。「版画のメディアとしての力を信じて活動した版画運動。この時代がまさに、戦後日本の一九四〇―五〇年代だったといえよう」。その中心メンバーのひとり、上野誠の作品はここでも紹介されている。

上野誠（一九〇九〜八〇、長野県川中島生まれ）は、終戦直後、二〇〇を超える中国版画展が日本各地で開かれ、これに強い影響を受ける。以後、一貫して庶民の視点から、平和を主題とする木版画を製作した。一九五二年に丸木位里、丸木俊夫妻の《原爆の図》の新潟巡回展があった。三月二三、二四日の六日町（現南魚沼市）会場は、当時同町に移り住んで働いていた上野の周到な準備で開催された。上野は《戦争はもういやです》「平和を守る原爆展」の版画ポスターを五〇枚ほど手刷りで製作した。（岡村幸宣著『《原爆の図》全国巡回』新宿書房、一五六頁参照）

実はこの上野誠は一九七〇年に新宿書房から版画集を出している。『上野誠　平和版画集　原爆の長崎』である。発行人の村山英治（一九一二〜二〇〇一、長野県屋代町生まれ）と著者・上野誠の生まれ故郷は同じ善光寺平だが、どういういきさつでこの版画集が誕生したかはよくわからない。同書には、山本薩夫（映画監督）と若月俊一（長野県佐久病院長）が跋文を寄せている。そこで山本監督は言う。

上野さんに初めてお会いしたのは、昭和二七年、ちょうど血のメーデー事件が起こった年、私が映画『真空地帯』を千葉の佐倉市にある旧練兵場の兵舎で撮影しているときです。映画のポスターを版画でという、いまから考えても画期的な斬新な企画で、上野さんにその製作をお願いしたのでした。

同書の五一頁にある版画が、映画『真空地帯』では実際どのように使われ、ポスターになったのであろうか。

なお、長野市川中島町には「ひとミュージアム　上野誠版画館」がある。

木版画運動は労働運動や学生運動のビラ、チラシ、タテ看とどこかでつながっているような気がする。ビラやチラシの多くは、謄写版（ガリ版）で印刷され、街頭で配られた。このガリ版印刷については、かつて『ガリ版文化史』『ガリ版文化を歩く』という二冊の本を出したことがある。そして、戦後のサークル運動において広く見られた、絵と言葉を組み合わせた作品を街頭に展示する「辻詩（つじし）」あるいは「壁詩（かべし）」にもつながるような気がする。この辻詩については、辻詩をまちうける運命からか、ほとんどが散逸して残っていないが、四國五郎と峠三吉によるコラボレーションの現物は八点が残されているという。

[2019. 4. 27]

2

版画家・上野誠の特別展「上野誠版画展―『原爆の長崎』への道程―」が、京都市の立命館大学国際平和ミュージアムで開かれる（二〇一九年一一月七日〜一二月一八日）。先日、国際平和ミュージアムからチラシとポスターが送られてきた。

特別展のサブタイトルにもなっている『原爆の長崎』は、新宿書房が一九七〇年七月に出版した上野誠の版画集だ。正式タイトルは『上野誠　平和版画集　原爆の長崎』。B4判、八〇頁。当時の新宿書房は法人化されておらず、「株式会社桜映画社出版部」となっている。発行者は村山英治。

いま手許にある数冊の保存本をみると、この『原爆の長崎』には、並製（ソフトカバー）と上製（ハードカバー・角背・保護段ボール函入り）の二種類があったようだ。それぞれ奥付をみると、並製は、定価一三〇〇円、部数は不明。

上製本の奥付には、限定五〇〇部とあり、定価は三〇〇〇円となっている。そして上製本には特別付録の版画がついていたらしい。「うえの・まことのはんが《海を越える鳩》」と題する手摺りの版画が各冊に挟まれていたようだ。

目次構成は以下のようになっている。

序文　「平和へのあふれる愛」若月俊一（長野県佐久病院長）
　　　「戦争はなにをもたらしたか」山本薩夫（映画監督）

本文　版画作品

■平和■ヒロシマ■原爆の長崎　その1■原爆の長崎　その2■その他の作品■戦前の作品か

ら■〝原爆の長崎〟の記（文＝上野誠）

収録されている版画図版は七六点。前見返しと後見返しには同じ版画《ひろしまの人の訴え》（一九五七）が入っている。この作品は、現在《ケロイド症者の原水爆戦防止の訴え》というタイトルの表記で知られ、製作年も一九五五年である（栃木県立美術館蔵など）。

前にも書いたように、上野誠と村山英治の関係ははっきりしていない。

上野は長野県川中島生まれ、村山はその近くの屋代生まれ。長野中学出身の上野は東京美術学校で学内民主化運動に関わり退学、一九三二年に帰郷する。

村山は屋代中学から長野師範を出て、一九三一年に長野県上水内郡の小学校教員となる。一九三三年二月に治安維持法違反で検挙（いわゆる「長野県教員赤化事件」、いまは「二・四事件」と呼ばれる）され、最初は長野署に留置、その後長野刑務所に拘置、一年三ヶ月にわたって拘束され、翌三四年五月に懲役二年執行猶予三年の有罪判決を受けて、釈放される。上野、村山の二人はある時期、同じ善光寺平のどこかで出会っていたかもしれない。

『原爆の長崎』にある上野自身の「わたしの画歴」によれば、「一九五二年　丸木位里夫妻の「原爆の図」の新潟県内移動展を組織。（中略）映画『山びこ学校』のポスター、映画『真空地帯』の宣伝資料等のために版画製作。……」とある。映画『山びこ学校』（52）は今井正監督作品、『真空地帯』（52）は山本薩夫監督作品だ。これが『原爆の長崎』に所収の山本薩夫の「序文」につながる。
今回の立命館大学国際平和ミュージアムでの展覧会は、一九五二年に上京した後、上野がどのように原爆被害者の体験に向き合い、これをどう版画作品にしていくかの過程を辿ったものだ。友人で北海道の北見にいた景川弘道との手紙のやりとり、「日々通信」を糸口に、『原爆の長崎』の刊行までの道を明らかにする。
今年は上野誠生誕一一〇年にあたる。いままでに開催された上野回顧展は数回あるが、主なものは以下の展覧会だ。

「上野誠展――鎮魂の木版画家――」（一九九八年一〇月二五日～一九九九年一月二四日、神奈川県立近代美術館［別館］）
「上野誠／ケーテ・コルヴィッツ展」（二〇一八年二月八日～三月二六日、佐喜眞美術館）

ケーテ・コルヴィッツ（一八六七～一九四五）はドイツの女性版画家・画家。上野は一九三七年、中国人留学生で版画家の劉峴との交遊からケーテ・コルヴィッツの存在を知り、以後影響を強く受ける。また儀間比呂志（一九二三～二〇一七）は一九五〇年代に上野誠から木版画の手ほどきを受けた。

［2019. 9. 14］

田村義也と、巡る人びと

一四〇〇冊の本を編集装丁した田村義也さん

九品仏（くほんぶつ）の駅を下りて右にまがり、商店街を真っすぐに行って環八が見える角をまがるか、すぐに右にまがって広い道に出会うと左に折れそのまま行くかは、その日の用件内容や天気しだいだ。再校の要があったり、デザイン変更が予想される時は迷わず、すぐに右にまがり、人気のない通りで頭を冷やす。

済州島（チェジュド）のお土産トルハルバンの置かれた狭い路地を進み、玄関のドアをあける。声をかけてもだれの返事もないし、人気もない。たまに夕方近くの時間だと、夫人が弾くピアノの音やかわいい生徒の声が聞こえたりする。

明るい日差しの中から急に暗い家のなかに入り、目がなれるまでかなりの時間がかかる。まもなく目の前には、廊下の横のガラス戸のついた書棚の中に並んだ、黒黒した枠の中に赤や青の原色を施した本たちが、まるで生き物のように動き回りはじめ、うなり声をあげる。

勝手にそこにあるスリッパをつっかける。食事が終わってからまもないとおもわれる生暖かい空気がよどみ、残り皿がそのままになっている居間と台所にはさまれた廊下をさらに進んで、左手のドアをあけて部屋にはいる。

この仕事部屋の主、田村義也さんは、つけっぱなしのテレビの横の机に座ってタバコをくわえながら電話をかけているか、後ろを振り返りもせず鋏や糊をもって仕事をしている。八畳ほどの部屋はすさまじい様相を呈している。お客が座ることのできる長椅子があるにはあるが、床には足の踏み場もないほどの本やコピーした紙が散乱し、机の上の崩れそうな本やゲラの山を挟んで、田村さんと話をすることになる。

ドアの右奥には二本の書棚があり、ここには参考にした本や贈呈された本が置いてある。主の座っている机に向かって右手の書棚には壁いっぱいに自ら装丁した本がびっしりと詰まっている。ここでもその本たちは叫び声をあげ、存在を主張している。そして両面の壁から、ところ狭しと切り刻んだ文字やカバーや表紙の校正刷りや刷り出しが、さながら褌を干しているかのように吊り下げられている。過剰な紙類が目を射す。

田村義也さんに最初に装丁をお願いした本は、田村紀雄さんの『明治両毛の山鳴り――民衆言論の社会史』だ。一九八〇年の秋だった。田村義也さんは当時岩波書店の『文学』の編集長をされていて、岩波の近くの小さな喫茶店で二人の田村さんと私は装丁の相談をした。

私はおよそ一〇年いた平凡社をその年の六月に退社し、百人社という出版社をひとり!で始めたばかりだった。平凡社では世界大百科事典、百科年鑑の編集部に所属。この間、杉浦康平さんとその事務所の人たち（中垣信夫、鈴木一誌、赤崎正一、谷村彰彦などの各氏）に徹底的にしごかれた。平凡社で資料写真の収集の仕方や編集術を体得したが、実は単行本の製作に関してはズブの素人に過ぎなかった。

田村義也さんは自らを「編集装丁者」と好んで名乗った。「装丁・造本という仕事は、編集者の仕事の中でその最後の仕上げであり、まとめである」これは、田村さんがつねづね言ってきたことである。装丁をお願いする際に、よく議論したのは、書名を決めること、次に本の目次作りや構成だ。

「ある距離をおいて介在し、全体を按配するのが編集者の仕事である。もとより、編集者は表に出るべきでないから、いわゆる〈黒衣(くろこ)〉のごとく、「縁の下の力持ち」として立ち回る。したがって、注意深い編集者がいないと、完璧な本はなかなか生まれない」(田村義也『のの字ものがたり』朝日新聞社、一九九六年)。たしかに気の利いた写真の挿入やそのキャプション、索引の出来などは編集者の資質(怠け者かそうでないか)に左右される。

編集者としての田村さんのキャリアをいまさら説明することもないだろう。装丁にあっても、その編集者としての役割がいかんなく発揮された。まさに「注意深い編集装丁者」だった。

沖縄や在日文学、部落解放運動、アイヌといった分野の本の誕生も編集装丁者・田村義也さんの編集力によって生まれてきたにちがいない。私の場合も、『風の自叙伝』(旧版、野本三吉)、『海を渡った朝鮮人海女』(金栄、梁澄子)、『色丹島記』(長見義三)などがそうして生まれた。

昨年（二〇〇二年）は六年がかりの「宇江敏勝の本」の最終巻、『若葉は萌えて——山林労働者の日記』と木村迪夫さんの『百姓がまん記』の装丁をしていただいた。この頃から、お宅にうかがうと、ピアノの横の寝椅子や仕事場の長椅子で寝ていらっしゃることが多かった。

しかし、ここでも書名に粘る、材料になる絵集めの要求は高い。装丁はゲラ読みから始まる。「甘いな！」「前のコラムは弱い。後ろへまわそう。ここを結語に伸ばすほうがいい」などなど批評というより指令が飛ぶ。これはいつものことだ。

宇江敏勝さんの『若葉は萌えて』は絵柄さがしで難航。既刊本との差異も出さないといけないから、新鮮な図柄がほしい。さんざん図書館に通ったあげく、『吉野林業全書』を見つけ、オーケーがでた。こんな時がいつもうれしいのだ。

『百姓がまん記』は書名で難航。「百姓の目玉」「百姓の足跡」「の背中」「の足裏」「の歩き方」「の憂鬱」……。二〇も三〇も案をだすが、不合格。しかし「農民」でなく「百姓」には二重丸。

戦後の農政に振り回されてきたひとりの農民詩人のニッポン農業へのレクイエムエッセイ。辞書をみると、「がまん」には「耐え忍ぶ」という意味のほかに「我が意を通す」「強情」の意味があることがわかる。この本にぴったりだ。しかも「我慢」でなく「がまん」。そして「百姓のがまん」でなく、クロニクルだから、「百姓がまん記」。

著者の木村迪夫さんは山形の上山（かみのやま）市在住。『やまびこ学校』の佐藤藤三郎さんと高校の同級生。自分の庭続きの空き家に小川紳介監督を呼び寄せ、映画『ニッポン国 古屋敷村（ふるやしきむら）』（82）完成の産婆役となった人だ。木村さんに電話して、子供の版画をさがしてもらう。

こうして、書名の文字とおおよそのレイアウトがきまる。田村さんは、きまってモリサワの見出し明朝、かな明で縦ややツメ、70Qの正体、長体1、長体2、長体3のバラ打ちを要求する。そして書体を取混ぜて組み合わせ、ボールペンで書体の各所を太らせたり、コピーを繰り返すという、田村流の版下文字の完成に向かう。

文字が完成すると、カバー、背、本扉、オビにつから、文字版下セット、そして基本設計図、色指定、用紙の指定、花布（はなぎれ）、栞（しおり）の指定まで書き込んだ画用紙の原稿をいただく。たいてい太い鉛筆の大きな字で書かれている。そして最後は、玄関まで編集者を見送り、「あとはよろしく」と深々とおじぎをされる。ここから版下校正へ進む。『百姓がまん記』は田村義也装丁の最後の作品の一つになってしまった。

実は入院中の田村さんを激励するために、有志のものが「田村義也装丁作品目録 1959〜2003」の暫定版を四月五日の八〇歳の誕生日までに作ろうと、準備していた矢先のことだった。この目録原稿によると、田村義也装丁作品数は四四年間でおよそ一四〇〇冊のようだ。私は、二二年の間に三〇点あまりの本の装丁をお願いできただけだ。ほんとうにわずかだが、中身の濃い授業だった。私は「田村義也本の学校」の生徒として、充実したたのしい時間を過ごすことができた。

二〇〇三年二月二三日、田村義也さん逝去。享年七九。二月二四日に自宅で身内だけの前夜式が終わったあと、ひとり田村さんの仕事場をのぞいてみた。主がここで仕事をしなくなって三週間ばかり、部屋は冷え切っていた。部屋の真ん中にあった本と紙の山はきれいに片付けられていたが、机の上や本棚から吊り下げられている校正紙はそのままだった。ついに完成できなかった鎌田慧の本、その「鎌田慧」の著者文字が机近くの壁から下がっていた。

まもなく、『田村義也装丁作品目録』が出来、回想集の企画も立てられるかもしれない。私の夢は、それらの仕事の延長として、インターネット上に「田村義也装丁作品」のサイトを立ち上げることである。そのサイトでは、書名、著者名での検索のほか、各書籍の資材データ、印刷方法、印刷所、製本所、編集者などのデータもわかる。そして、それぞれの書影の画像が公開されている。なかなか知られてないのが、本表紙の図柄や本扉の図柄。カバーより傑作な本表紙がたくさんある(田村さん、ごめんなさい!)。もちろん、田村さんのコラムも読める。そんなサイトの実現を夢見ている。

偉大な日曜装丁家ということなら、ぜひ「青山二郎と田村義也の装丁」や「田村義也、田村明、そして田村家の人々」「編集者としての田村義也の時代」といったテーマで、これからさまざまな人がアプローチするにちがいない。

『図書新聞』2003年3月15日

田村義也著『のの字ものがたり』出版を祝う会

拝啓　かつてない厳しい冬でした。ようやく桜の花のたよりを聞く季節になりました。みなさま、おかわりなくお過ごしのことと思います。

さて、われらが師、田村義也さんが、このたび、『のの字ものがたり』（朝日新聞社）を上梓されました。本書のもとになったのは、一九九〇年七月から一九九二年一二月まで二年半にわたり、TBSの月刊誌『調査情報』に連載されたものです。四六判横ドリの変型判・貼函入りの形をとって、ついに出版となりました。これは田村義也さんの初めての著書であるとともに、編集と装丁の仕事の実際の有りようを、一〇〇余冊の本を例に、それぞれの本ができ上がっていくまでを、かずかずのエピソードをまじえながら具体的につづった、他に類をみない本です。

田村さんは、みずからを〈編集装丁者〉と好んで名乗ります。そこには田村さんが言われる「装丁・造本という仕事は、編集者の仕事の中でその最後の仕上げであり、まとめである」という言葉につながる田村さんの思想があります。それゆえ、この『のの字ものがたり』は、いままで出版されてきたグラフィック・デザイナーによる「装丁論」や、第一線を退いた元編集者による「文壇記者回想録」とはまったくちがう、本の誕生物語を圧倒的なおもしろさで語りかけてきます。

文字の力、ワク、パターン展開、掟破りの色使い、漆黒、色刷活版印刷。これら田村装丁ワールドのキーワードが、酒と煙草と大議論が渦巻き、コピー紙やゲラや切り刻んだ文字の切れはしが足元に散乱し、壁には校正刷りが所狭しと吊り下げられた、あの世田谷奥沢の田村工房から発せられ、そしてひとり深夜に机に向かう田村さんの孤独な手仕事によって定着されてきたことを、この本で知ります。

本書の巻末に収められた「田村義也装丁作品リスト」には驚愕させられます。ここには一九五九年から一九九五年八月までの、一〇〇〇点に及ばんとする書名・著者名・出版社名が記載されています。活字離れ、社会科学書の不振が叫ばれはじめてきた現在の状況にまるで抗するかのように、田村さんの装丁の仕事が活発になってきました。この数年は、年間平均五〇点前後の装丁を手がけておられます。

このリストは、大出版社の無味乾燥な図書目録とは違う、本の表紙と背があざやかな出版文化の地図となってよみがえるような、もう一つの同時代史といえないでしょうか。経済優先の中で、モノとしての美しさを切り捨ててきた日本語の出版界に贈る本として、本書ほど、ふさわしいものはありません。

つきましてはこの本の出版を祝い、田村義也さんと久美子夫人にますます活躍してもらうために、ささやかな宴を企てました。ふるってご参加ください。

敬具

一九九六年三日吉日

一九九六年四月二七日に日本教育会館で行われた「田村義也著『のの字ものがたり』出版を祝う会」の呼びかけ文（文・村山恒夫）。

古地図の地名が動いた

田村義也さんに最初に会ったのは、一九八〇年に平凡社をやめてひとりで百人社という出版社をつくり、一冊目の本の装丁をお願いする時だった。

著者の田村紀雄さんが、装丁はどうしても、田村義也さんにお願いしたいというので、ふたりで岩波書店に出向き、近くの喫茶店で相談をした。

ブックデザインと装丁に違いがあるとすれば、一〇年間の平凡社時代は杉浦康平さんのブックデザインの世界にどっぷりと浸かっていた。

百科事典の編集はまさに集団での仕事であり、事典編集者は優秀な校閲、校正の人々によって、いわば護送船団に守られた編集者だ。百科事典の項目には執筆者名が末尾にあっても、元の原稿は編集部のなかを回るうちに原形をとどめないほど、手を入れられ、役にはたつ?が個性のない無味乾燥な文体になっていく。

出版社を始めても実は単行本の作り方をちゃんと知らない。著者との丁寧な交渉の中で本を作ることを、手探りで学ぶ。もちろん用紙、印刷、製本などの製作や装丁の段取りも知らない。そんな時期だった。

怖いもの知らずの私は、その装丁の田村義也さんと会うのだ。

田村紀雄さんは、実は義也さんとほとんど面識がなかったが、田村義也さんは「ひとりで百人社か」と笑って、こころよく装丁を引き受けてくれた。

あとで、田村さんは知っている著者や読んだことのある著者でないと装丁を引き受けないと聞いた。

業余作家、日曜画家という言葉があるので、この時はさしずめ田村さんの業余装丁家、日曜装丁家時代の最後の頃だった。

「この本は四六の判型ですか？　A5の本ですか」「A5の本は研究書であり教科書である。読み物だったら、四六判です」

枚数の関係で安易にA5判を考えていた私だったが、先に送っておいたゲラを読んで、田村さんは内容からこれは研究論文でなく、ノンフィクションかドキュメンタリーだと喝破されていた。

ところで、タイトルが決まらない。上毛、下毛の両毛地方の山間の町々で燎原の火のように広がった民衆言論の動きを海鳴りになぞって、山鳴りと表現して、『明治両毛の山鳴り――民衆言論の社会史』。民衆言論の秘やかな鼓動を表現したかった。実際に鉱山用語の中に「山鳴り」という言葉はあった。

タイトルは辛くも合格。いよいよ装丁だ。

「これは地図だな」ということで、まず古地図集めに頭を悩ます。正統的な百科事典派だった私は『利根川図誌』などを持っていくのだが、田村さんはもっと素朴な当時の地方の地図を求める。

結局、新宿の大型書店の前で古地図の複製を売っていたのを買い、これを持っていった。文字も下手で、色刷りの版ずれがはげしいひどいものだが、田村さんは、その素朴な風合いを喜んだ。ただ両毛地方から流れ出る利根川を南北に長く描いている古地図をどう使うのかなと思いながら、仕上がりを待った。

「うまくおさまりましたね」というと、田村さんは済ました顔で、「タイトルに隠れた重要地名はいくつか動かしました。川の流れもかえて、横にまげ、書き足して動きをつけました」。驚いた私にさらに、「こういうことはよくやるんです」とニヤリとおっしゃった。

早くも田村装丁のマジック（図像の引用、リメーク、いたずら）にふれた思いだった。

田村義也さんには三三冊の本の装丁をお願いしたことになる。実は断られた本が一冊ある。田村さんのまったく知らない著者で、ゲラを読んでもらったあと、やっぱり無理だといって断られた。在日朝鮮人のおじいさんと日本の少女の交流を描いた小説だった。

反対に、「どうしてこれを俺にやらせないのだ」と怒られたこともあった。

一つは『牛乳と日本人』（旧版、一九八八年）。本が出て何年かたった時だろうか、下の息子さんが大学を卒業して北海道内の牛乳メーカーに就職するというので、いろいろ図書館で勉強された折に、この本を見つけたらしい。

この『牛乳と日本人』は二〇〇〇年に全面改訂新版を出すことになり、晴れて田村さんの装丁をまとって、世に出た。

もう一冊は『ガリ版文化史』（一九八五年）。題字をガリ版名人の水谷清照さんに書いてもらい、カバーの下地には四国謄写堂の謄写版鉄筆用紙（四ミリ方眼）を横倒しにして使った装丁だ。

「だれがやったんだ。もっといいのができるのに！　おしいな」

実はこれは、私が見よう見まねで版下を作って装丁したものだった。しかし、そのことを田村さんにはとても言えなかった。


本稿は、田村義也追悼集『田村義也　編集現場115人の回想』（二〇〇三年）に寄せた文を大幅に加筆した。

文字、色、人の輪……田村塾

数々の名著を世に送りだした大編集者であり、同時にすぐれた装丁家として、戦後のブックデザイン界で独自の世界を築いた田村義也さんは、二〇〇三年二月二三日、満八〇歳の誕生日を目前にして亡くなられた。

安岡章太郎さんや小島信夫さんらの本から、沖縄、アイヌ、在日朝鮮人、部落解放運動、日雇い労働者の本まで一四〇〇冊の本の装丁をされた。

多くの読者に、その独特な文字使い、色使いで、強烈な印象を残してきたにちがいない。

本書（『田村義也　編集現場１１５人の回想』）はその編集装丁家・田村義也さんの周りに集まっていたいわば「田村学校」「田村塾」の生徒、塾生一一五人たちが、編集現場から回想したものである。私もそのひとりだ。

最後まで現役だった田村さんだが、岩波書店での編集者時代を知る若い編集者は少ない。今回、何人かの文章により、その過激な仕事ぶりが紹介されている。本書はさながら「田村義也研究」の様相を呈しており、全編さまざまな人間・田村義也の情報にあふれている。

三十代の頃は、劇作家の久保栄さんに傾倒し、およそ四年間にわたり、「赤木正」という名前で月刊誌に劇評を連載している。いったい会社の仕事は、この間、どうしていたのだろう。

田村義也さんに装丁を頼んでくれという著者は多い。しかし、だれもが田村さんのところに行くのに足が重くなる。田村さんほど、内容にうるさく、要求の多い装丁家もいないから。

まず、編集者である田村さんがゲラ（校正紙）を読んで、タイトルが悪いという。それだけも大変だが、時にはこんな内容の本では装丁はゴメンだと言いだす。

自分の知っている著者、文章を読んだことのある著者の装丁は喜んでした。だから、ゲラを読んで、こんなもので本にするなんて、著者に失礼だと突き返された編集者もいる。

そんなやり取りを、他の編集者もいる自宅の工房の中でやられることもあるから、気の弱い編集者はもう来なくなる。

元来、編集者は曲者（くせもの）が多く、他の編集者に手の内を見せたがらない。編集者が大勢仲良く酒を飲み交わすことはあまりない。

しかし、田村さんの周りにはいつも編集者が集まっていた。田村さんの終わることのない楽しい話が聞きたくて、珍しいうまい酒が飲みたくて。田村工房は、入れ替わり立ち替わり現れる人たちでいつもごった返していた。

そして彼らが持ってくる酒や肴が次々と卓上に出され、いつ果てぬとも知れぬ宴会になっていくのが夕暮れの日常風景だった。みな田村さんの繰り出す体験談と博学に打ちのめされ、そのうちその体力、酒力に圧倒される。

いま編集者たちの間には二つの夢がある。一つには「田村義也装丁博物館」というHPを開設し、装丁作品リストをより完全にし、カバーだけでなく、本表紙、化粧扉などの画像も公開すること。もう一つは、田村装丁本を保存公開してくれる大学図書館か博物館を探すこと。どこか、この宝物を引き受けてくれるところはないものだろうか?

『東京新聞』2004年2月12日夕刊

原題：自著を語る『田村義也　編集現場115人の回想』

付記

二〇〇八年八月〜九月に、武蔵野美術大学美術資料図書館で「背文字が呼んでいる―編集装丁家田村義也の仕事―」展が開催された。これは二〇〇四年に田村家から一四〇〇点におよぶ装丁作品とそれらのエスキースなどの寄贈を受け、これを公開したもの。酒井道夫監修・解題の『背文字が呼んでいる―編集装丁家田村義也の仕事―』（武蔵野美術大学美術資料図書館）も同時に刊行された。

ふたりの編集者

東京・東中野のSpace & Caféポレポレ坐で五月二二日（二〇一九年）から企画展「上野英信の坑口」が開催される。
上野英信（一九二三～八七）は記録文学作家。彼の作家としての仕事が広く世の中に知れ渡ったのは、岩波新書の『追われゆく坑夫たち』による。この新書は一九六〇年八月に出版され、たちまちベストセラーとなる。その後品切れ状態となったが、二〇一七年五月に〈アンコール復刊〉された。この間、同じ岩波書店の「同時代ライブラリー」として、一九九四年九月に刊行されてもいる。両書の違いは以下の通り。
岩波新書版：巻末に九州大学教授の正田誠一「日本の中小炭鉱とその労働者たち―跋にかえて―」を収載。日炭高松写真サークルによる写真が左頁の随所に入っている。中扉には千田梅二作と思われる装画が入っているが、千田の名前の表示はない。
同時代ライブラリー版：文庫サイズ。新書版より文字は大きくなっているが、一行の字詰めはかわらず、新書の原版を流用しているようだ。正田の跋文がない。新書より写真の点数が大幅に減っている。カバー・中扉装画＝千田梅二、扉・カバーデザイン＝福井ケン。文末にあらたに「上野英信年譜」（作成＝川原一之）、解説に「地底の魂」（鎌田慧）が入っている。この「上野英信年譜」は二〇〇八年に出版された『闇こそ砦　上野英信の軌跡』（川原一之著、大月書店、二〇〇八年）に、まったくの同文でそのまま収録されている。川原の手になる追悼録（『追悼　上野英信』一九八九年）収録の年譜のようだ。

一九六〇年といえば、日米新安保条約批准に反対する安保闘争が怒濤の大衆運動となって日本列島を渦巻く。六月一五日の国会前のデモでは、警官隊と衝突した際に樺美智子が死亡している。九州では総資本対総労働の天王山と言われる三池闘争が起こっている。三池闘争（三池争議）とは一九五九年から翌年にかけて、九州福岡県の大手炭鉱、三井鉱山三池鉱業所での指名解雇反対の大争議をいう。石炭から石油へとエネルギー革命が推進されるなかで、筑豊炭田の中小・零細炭鉱が次々とつぶれる。そうした小ヤマを尋ね歩いて、常に過酷な奴隷労働と飢餓生活に苦しめられている、絶望的な中小炭鉱の極限状況とその労働者たちの苦悶の軌跡を、書き留めたのがこの『追われゆく坑夫たち』だ。上野英信は七年後に、同じ岩波新書で『地の底の笑い話』（一九六七年）も出している。ここでは装画に山本作兵衛の絵を使っている。実は、炭鉱絵師・山本作兵衛（一八九二～一九八四）の『明治大正炭坑絵巻』（明治大正炭坑絵巻刊行会、一九六三年）、『画文集　炭鉱（やま）に生きる――地の底の人生記録』（講談社、一九六七年）も、上野英信が奔走して出版できたものだ。

上野英信の二つの新書を担当した編集者は田村義也（一九二三～二〇〇三）である。いまは装丁家としての実績がつとに知られる田村だが、当時は岩波書店の一社員であった。田村は一九四八年に岩波書店に入店。出版部、岩波文庫編集部を経て、五六年三月に岩波新書編集部に異動。同年九月に編集者として初めて、梅棹忠夫『モゴール族探検記』を担当している。六七年五月には岩波新書創刊三〇年記念で、新書編集部は一挙に一五冊の新刊を同時刊行した。田村は三冊を担当していて、そのうちの一冊が上野英信の『地の底の笑い話』であった。

田村義也が亡くなったあと、『田村義也 編集現場115人の回想』（田村義也追悼集刊行会、新宿書房内、二〇〇三年）が刊行され、付き合いのあった多くの編集・出版関係者が文を寄せている。この中で坂口顯さんの「五十年前に出会って」がとても面白い。この見開きの頁の左に〈◎田村義也担当の「岩波新書」主要書目一覧〉が収録されているのもいい。ここには、六七年六月に雑誌『世界』編集部に異動するまでの新書編集部在籍一一年間に、田村が担当した三〇冊余のリストが並んでいる。

坂口さんは一九五六年当時、夜は定時制高校に通う一七歳の少年社員、一方の田村は三三歳の中堅社員。坂口さんは運転するオートバイの後部座席に田村を乗せて、著者宅へ原稿取りに走った。この書目一覧には、上野英信『追われゆく坑夫たち』や『地の底の笑い話』のほかに、坂口謹一郎『世界の酒』（一九五七年）、金達寿『朝鮮』（一九五八年）、比嘉春潮・霜多正次・新里恵二『沖縄』（一九六三年）、白川静『漢字』（一九七〇年）などの名著が並ぶ。『追われゆく坑夫たち』を出した二ヶ月後の一〇月には、日高六郎編『１９６０年5月19日』を出している。「この新書は日高さんを山の上ホテルに缶詰めにして作ったんだ」という田村談を思い出す。

一九六二年には編集者・田村義也にとって記念すべき本が出る。多田道太郎『複製芸術論』（勁草書房）だ。装丁者名＝田村義也が表示された最初の本である。編集装丁家＝田村義也の始まりとなる。そして、六七年の鶴見俊輔『限界芸術論』（勁草書房）から、日曜装丁家、編集装丁者の姿が本格的に登場する。田村義也の造本の仕事については、前掲の、『田村義也　編集現場１１５人の回想』のほか、田村義也の『のの字ものがたり』（朝日新聞社、一九九六年）や『ゆの字ものがたり』（新宿書房、二〇〇七年）、『背文字が呼んでいる—編集装丁家田村義也の仕事—』（武蔵野美術大学美術資料図書館、二〇〇八年）が参考になる。

田村義也は一九八五年に岩波書店を正式に退職。二股の日曜装丁家から晴れてフルタイムの編集装丁家となる。岩波在職中には、以下のような上野英信の本の装丁をしている。

『天皇陛下萬歳——爆弾三勇士序説』（筑摩書房、一九七一年）
『骨を嚙む』（大和書房、一九七三年）
『出ニッポン記』（潮出版社、一九七七年）
『火を掘る日日』（大和書房、一九七九年）
『眉屋私記』（潮出版社、一九八四年）

『追われゆく坑夫たち』が生まれた一九六〇年前後には、以下のような書籍が次々と出版されている。

一九五八年：安本末子『にあんちゃん』（カッパブックス、光文社）。佐賀県の小さな炭坑町に住む、両親を亡くした四人の兄妹のくらしを在日の一〇歳の少女が書いた日記。同書はこの年の年間ベストセラー第一位となり、翌五九年には映画化（日活、今村昌平監督）されている。

一九五九年：『日本残酷物語』（全七巻、平凡社、〜一九六一年）監修者＝宮本常一、山本周五郎、楫西光速、山代巴。「流砂のごとく日本の最底辺にうずもれた物語」で、企画者でもあった編集長は谷川健一（谷川雁の長兄）、編集部員は小林祥一郎、児玉惇ら。小林祥一郎の『死ぬまで編集者気分――新日本文学会・平凡社・マイクロソフト』（新宿書房、二〇一二年）の中の「『日本残酷物語』のリライト編集」は当時の編集現場を活写している。

一九六〇年：『筑豊のこどもたち　土門拳写真集』（パトリア書店、一月）。サイズは二五五×一八〇ミリ（B5判、週刊誌サイズで中綴じ製本）、ソフトカバー、九六頁、定価一〇〇円。ザラ紙に七五線のアミ点で印刷。装幀・デザイン＝亀倉雄作、「前書き」＝野間宏。「このささやかな写真集が貧しい筑豊の炭坑失業者やそのこどもたちのために何らかのかたちで生きるならば幸である」（「あとがき」から）。同書は一〇万部が売れたという。パトリア書店は学生（丸元淑生といわれる）が経営していた出版社。同年に別会社から、続編『るみえちゃんはお父さんが死んだ』（研光社）も出版。映画『筑豊のこどもたち』（60、内川清一郎監督）は、同年一一月一三日から東宝系で公開。撮影にはドキュメンタリー映画のベテランの白井茂ほかが参加。

『追われゆく坑夫たち』がこれらの書籍に大いに刺激を受けて出版されたことは間違いない。当時、新書は岩波新書しかなく（中公新書の創刊は一九六二年一一月、講談社現代新書の創刊は六四年四月）、いわば岩波新書の独壇場だった。新書は毎月二〜三点刊行のノルマがあり、基本は書き下ろしのため、多くはリライト作業が必要だ。そのため校閲・校正部からのクレーム、プレッシャーも大変なもので、編集者にとって、かなりきつい環境の中での作業となる。先行する前述の書籍の評判も編集者には重くのしかかるし、営業からの期待もある。

事実、上野は同書のあとがきで、「しかも皮肉なことに、にわかに猫もシャクシも中小炭鉱の悲惨さを書きたてはじめた。あらゆる雑誌や新聞が屍にむらがる蠅のように一斉に〈黒い飢餓の谷間〉に集中した。私の性質がアマノジャクなのかもしれないが、人がそれについて書きはじめると、とたんにもうまったく書く気がしなくなる。それについて人がしゃべり出すと、たちまち沈黙したくなる。」（新書版、ライブラリー版の「あとがき」より）と述べて、執筆の苦しさを吐露している。

同じ「あとがき」には「わざわざ東京からかけつけて協力してくださった岩波書店編集部の田村義也さん」と書いている。当時、東京博多間は寝台特急「あさかぜ」でも一七時間あまりかかっただろうから、編集者も大変だった。

『追われゆく坑夫たち』に使われた、日炭高松写真サークルによる迫力ある多数の写真は、先行して同年一月に出版されている土門拳の『筑豊のこどもたち』を彷彿とさせる。従来の新書ではありえない掟破りのような異例な多さの写真掲載と、文字数。これらに対していろいろ社内からも声があがっただろうが、さすが田村義也の腕力だ。〆切り、刊行を人質にして見事乗りきっている。どうだ、結果を見ろと。

今回のポレポレの企画展は二〇一七年一一月一〇日から一二月一七日まで福岡市文学館で開催された企画展「上野英信　闇の声をきざむ」を、いわばその親展（おやてん）（！）にしているそうだが、そこで展示された『追われゆく坑夫たち』の原稿の写真（福岡文学館の図録）には驚かされる。たぶん、新書編集部から印刷所へ入稿した元原稿が刊行後に著者のもとに戻されたのだろう。ここには、ほとんど赤が入っていない。しかもまるでガリ版切りのような文字だ。

上野は一九五二年頃から自らガリ版を切って筑豊炭坑労働者文芸工作集団の機関誌『地下戦線』を発行、編集責任者として初めて「上野英信」というペンネームを使う。そして、五四年から炭坑労働者を主人公にした物語の創作に取り組む。こうしてできた私家版から、えばなし『せんぷりせんじが笑った！』（絵＝千田梅二）が『ルポルタージュ　日本の証言』（柏林書房、一九五五年）の一冊として出版される。

あの原稿は、数々の同人誌、機関誌を編集そして自らガリ切りをしてきた、まさに上野英信の原稿用紙なのだ。実は彼もまた編集者であった。

『追われゆく坑夫たち』と『地の底の笑い話』は、ふたりの編集者の出会いとせめぎ合いから産まれた新書なのである。松本昌次の表現を借りるなら、ふたりの全身編集者のぶつかりあいである。『ルポルタージュ　日本の証言』は最近、復刻されている。柏林書房版の編集者であった小田三月がカタログの中で、当時まだ「ルポルタージュという文学ジャンルは、それまで日本でなじみの薄いものだったので、著者たちは、それぞれに方法を模索した。（中略）『せんぷりせんじ』もまた、炭坑夫として働きながら書く、新鮮な試みであった」と述べている。

[2019.5.18]

付記
松本昌次さんが編集・発行した『上野英信集――戦後文学エッセイ選12』（影書房、二〇〇六年）がある。この中の「ボタ拾い（抄）」の章に、「担ぎ屋の弁」と「ガリ版人生」というエッセイが収録されている。上野英信は無名の優れた作品の原稿を担いで、出版社を回る。山本作兵衛も石牟礼道子の『苦海浄土』も担ぎ屋上野の努力で日の目をみた。また上野の原稿の「ガリ版のゴチック体の文字」の由来もわかる。

上野英信展余聞：谷川雁の影

東京・東中野のポレポレ坐での上野英信展は終わった。「筑豊文庫」に焦点をあてた記録文学者・上野英信の人生をたどる展示だったが、ある人の不在を感じざるをえなかった。谷川雁のことである。

上野と谷川の最初の出会いは一九五八年一月、博多の谷川の下宿だという。そこで、ふたりは雑誌の刊行についての下絵を描いた。「まるで薩長連合ですな」とふたりは笑いあったという。

谷川雁は一九二三年熊本県水俣市生まれ。四五年、千葉県印旛郡の陸軍野戦重砲兵隊に入隊。敗戦後復員、東大文学部社会学科（指導教官は日高六郎）を繰り上げ卒業。福岡市の西日本新聞社に入社し、九州での生活を再開している。この間に日本共産党に入党、四七年新聞社の労組書記長として労働争議を指導して解雇処分。四七年、丸山豊創刊の同人詩誌『母音』に参加。四九年、日本共産党九州地方委員会の機関紙部長となる。翌五〇年から結核で帰郷、療養生活に入る。

一方、上野英信は一九二三年山口県吉敷郡井関村（現山口市阿知須）生まれ。満洲の長春にあった建国大学に在学中の四三年一二月に学徒招集され、四五年八月六日に広島市宇品の兵舎で被爆。

四六年に京大文学部支那文学科に編入、四七年同大を中退。九州に渡り、四八年一月福岡県遠賀郡岡垣町の海老津炭鉱を振り出しに中小炭鉱で坑夫として働きつつ、炭鉱労働者の文学運動を組織し、『地下戦線』などを発行する。五三年、日本共産党に入党。

ふたりの出会いは一九五八年だが、それまでの一〇年間、九州にいるお互いの存在を意識してきたにちがいない。そこから、同年九月の雑誌『サークル村』の創刊までの時間は早い。

すでに一年前から遠賀郡中間町本町（現中間市）に住んでいた上野英信宅の隣に、谷川雁と森崎和江が移ってきた。もともと一軒家だったと思われる平屋の家の前半分に上野家が、後半分に谷川・森崎家が分かれ住んだ。上野一家（英信と晴子夫妻の間には三歳の息子の朱（あかし）がいた）と壁一重の隣人生活が始まったのだ。詩誌『母音』の同人で知り合った谷川、森崎にはともに家族があった。それぞれ妻（夫）の元を離れ、別の男（女）と行動をともにするため家を出てきたのだ。しかも谷川は子供ひとり（長女のあけみ。長男の空也は一九五〇年に二歳一〇ヶ月で死亡している）を連れ、森崎も四歳の長女・恵の手を引き、一歳半の長男・泉を背負って、上野家の隣にやってきたのだ。

その日のことを、後年、上野晴子は次のように回想している。

玄関ともいえない狭い入り口の、土間と台所のしきりに掛けた短いのれんを片手ではねて、雁さんの顔がぬっと入ってきた。そして一瞬のうちに私と家の中のすべては見られてしまった。にこりともしない切れ長の鋭い目と高い鼻、一文字にひきむすばれた口元、黒々と光る豊かな髪、ちょっととりつきにくい雰囲気の雁氏の傍らで、小柄な和江さんの美しさは透き通るばかりだった。

（上野晴子『キジバトの記（新装版）』）

谷川は筑豊といえばもっと奥の田川をあたりに事務局を置くことに関心があったが、上野の熱心な説得でようやくここに来たという。森崎は三日とあけずに子どもたちのことを父親（夫）に書き送り、往来もしたという。谷川は「今日からぼくもパパだ」といい、子供たちは「パパもママもふたりずついる」といった。

雁、英信ともに三五歳の初夏だ。

同じ屋根の下、二世帯、大人四人、子供四人のてんやわんやの暮らしの中、夜昼なく入れかわり立ち替わり若い人が集い、熱気にあふれていた。敗戦記念日の八月一五日には、ここを「九州サークル研究会事務局」とした。それから九月二〇日の文化運動誌『サークル村』の創刊までのすさまじい日々が続く。Ａ５判、平均六〇頁、活版印刷。創刊部数は八〇〇部、製作費はおよそ三万円だったといわれている。

編集委員は上野、谷川、森崎らの九人、参加した会員は九州・山口の数十のサークルに所属する二〇〇余名の個人だった。会員の中には河野信子、中村きい子、石牟礼道子、杉原茂雄（後の大正行動隊隊長）、谷川和子（雁の妻、水俣市在住）などの名前が見える。

小説、詩、評論、短歌、ルポルタージュ、合唱用詞曲、映画評、生活記録などさまざまなジャンルの作品が掲載された。
『サークル村』は月刊誌で、第一期二一号までは活版、第二期一号から一〇号はガリ版だ。創刊が一九五八年九月、休刊は一九六一年一〇月だった。自壊の原因は「二人の事務局員の発狂と失踪」（谷川）と言われたが、一番の原因は事務一切を担当していた上野英信が健康悪化を理由に一九五八年一月から福岡市の山の中、茶園谷の小さな隠れ家に移転したことがあげられる。しかし、上野は編集委員会のたびにそこから通ったという。
上野晴子は先の本で、あの喧騒の中で雁も英信もよく原稿が書けたなと回想する。

雁さんの字はほれぼれするほど綺麗だった。原稿を書き上げるや否や雁さんは和江さんを呼び立てて、和江さんが入浴中なら風呂場の前で、炊事中なら鍋の前で、弁慶の勧進帳よろしく読み上げられるのだった。私たち夫婦が、味噌汁がぬるいとか漬物がまずいとかつまらぬことで口争いをしている最中に、一方では思想や芸術が論じられている。詩人夫婦の間には俗を離れた高尚な空気が流れていた。

雑誌『サークル村』を始めた上野と谷川の性格はもともと水と油のように違っていた。『サークル村』が出るたびに、谷川が東京（知識人）に持っていくが、上野はこれには反対だった。上野は労働者の世界に直接入る、谷川は文字を書いて、それを東京に運ぶ。結局、『サークル村』は労働者の目に触れられずに終わった。

セキやくしゃみ、そしてイビキまでがすべて筒抜けの生活。谷川は言葉、言葉。上野は沈黙、沈黙。同じ屋根の下の生活の中で、『サークル村』はつくられた。

この『サークル村』の三年間（一九五八〜六一）に、谷川も上野も以下のような本を出版している。またふたりともこの間の一九六〇年に共産党を脱党、除名されている。

谷川雁

『原点が存在する』（弘文堂、一九五八年一一月）
『工作者宣言』（中央公論社、一九五九年一〇月）
『谷川雁詩集』（国文社、一九六〇年一月）
『戦闘への招待』（現代思潮社、一九六一年四月）
雑誌『試行』（吉本隆明、村上一郎と創刊、一九六一年九月）に参加

上野英信

『親と子の夜』（未來社、一九五九年一一月）
『追われゆく坑夫たち』（岩波書店・岩波新書、一九六〇年八月）
『日本陥没期』（未來社、一九六一年一〇月）

『親と子の夜』『日本陥没期』、ともに担当編集者は松本昌次だ。『親と子の夜』の刊行について松本は、『上野英信集』（戦後文学エッセイ選12、影書房、二〇〇六年二月）の月報で、次のように書いている。

もともと、上野さんの『親と子の夜』の企画を未來社に持って来たのは谷川雁さんである。（中略）ある日、〈上野英信のこの本を出版しないような出版社は出版社じゃない、お前も編集者ならこの本を出してみろ〉と、言葉は正確でないが、谷川さん一流の言い方でなかば脅迫的にすすめられたこの本が、『親と子の夜』であった。

また、谷川雁は兄の健一が平凡社で『日本残酷物語』（全七巻、一九五九〜六一年）の編集長をしていたので、『サークル村』から、自分と森崎和江、中村きい子、石牟礼道子らを売り込んで、原稿を書かせている。このあたり、プロデューサー（工作者）・雁の面目躍如たるものがある。

『サークル村』が終わった後、谷川と上野はそれぞれ分かれてちがう道を歩む。彼らはその後、二度と会うこともなかったという。谷川は大正行動隊を組織、一九六四年に大正鉱業が閉山すると、翌六五年九月上京、筑豊を離れる。

上野は一九六四年、鞍手町の炭住廃屋を改造して移り住み、八月に「筑豊文庫」の看板を掲げた。筑豊文庫は公民館であり図書館となって、さまざまな人たちがこの「巨大な泣き小屋」を訪れた。

森崎和江は、『サークル村』と並行して一九五九年八月に、女性交流誌『無名通信』を創刊（〜六一年七月）。そして初めての単行本『まっくら——女坑夫からの聞き書き』（理論社、一九六一年）を出版している。谷川雁とは一九六四年一二月まで同居を続けた。

谷川雁は後年、『サークル村』の誌名について語る。「……種をあかせば『動物村』のもじりなのである」と。

この『動物村』とは、ジョージ・オーウェルの“Animal Farm”（邦訳名『動物農場』、原書は一九四五年に刊行）をさすのであろう。飲んだくれの農場主を追い出し、動物たちは理想の共和国を目指すが、指導者の豚が独裁者となって、恐怖政治を敷く。『動物農場』の邦訳は一九四九年、五七年とすでに出版されている。あるいは谷川は原書を手に入れていたかもしれない。『サークル村』で自ら演じ、支配した「恐怖政治」をとうに自覚していたのであろうか。

実は私は谷川雁さんに一度会っている。

谷川さんが一九八〇年ラボ教育センターを退社し、翌年、市ヶ谷駅近くで「十代の会」を始めたばかりのことだ。私は平凡社を辞め、新宿書房を引き継いだ頃だ。友人の紹介で、この伝説の人に、こわごわ会った。

「では上野駅までタクシーの中で話そう」ということになる。

雁さんはすでに長野県の黒姫山麓に移住していた。上野駅に着くと、帰りの急行まで時間があり、近くの飲み屋に入った。

ずっと谷川さんが一方的に話すのを聞くばかりだったが、そのうち「なんでお前のとこは、市川房枝なんかの本を出すのだ！」と怒り出して、それから大演説になった。

私は翌日、「発狂と失踪」こそしなかったが、この言葉には後々まで、ずいぶんこたえたものだ。

翌年かに矢川澄子さんのエッセイ集『風通しよいように…』（編集＝室野井洋子、一九八三年）を出した折、黒姫の矢川邸に泊まらせていただいた。矢川さんは八〇年の秋に黒姫に転居していた。その夜、たまにやってくる「裏のオジさん」（谷川さんのことを矢川さんはそう呼んでいた）がいつ現れるかと、おそれおののいていたことを思い出す。

参考文献
『サークル村の磁場――上野英信・谷川雁・森崎和江』（新木安利著、海鳥社、二〇一一年）
『キジバトの記（新装版）』（上野晴子著、海鳥社、二〇一二年）
『谷川雁――永久工作者の言霊』（松本輝夫著、平凡社、二〇一四年）

［2019. 6. 14］

杉浦康平山脈

谷村彰彦

グラフィックデザイナーの谷村彰彦さんが二〇〇二年一月二九日に亡くなった。享年五四。二〇〇〇年の一〇月に脳外科手術を受けたあと、順調に回復し仕事にも復帰したと思っていた矢先の死だった。

その一日前に杉浦康平さんから電話をもらった。谷村さんの病状が重篤であること、みんなには突然のことと思うかもしれないが、実は一昨年前の脳の手術の際に医者から余命数ヶ月といわれていた、ほんとうにがんばって療養につとめ、ここまできたのだといわれた。昨年の春によくなったと連絡があり、彼の事務所に行き、近くの定食屋で昼ごはんを食べて以来、私は谷村さんに会っていなかった。

谷村さんに最初に会ったのは、杉浦事務所で、私は平凡社の百科年鑑編集部員。彼は毎日グラフの編集部にいながら、大学で師弟関係にあった杉浦康平さんの仕事をときどき手伝っていたようだ。そのうち、谷村さんは杉浦事務所からの出向のような形で百科年鑑の編集部の嘱託になり、杉浦さんが提案するデザインプランを媒介に私が平凡社を辞めるまでの七年の間、私たちはほんとうに濃密な時間を過ごした。一緒にいる時間は家族以上に長かったような気がする。

平凡社の百科年鑑は一九七〇年代の日本の書籍デザインワークの一つのピークを示す作品群だと思う。さまざまな編集デザインの試みがなされた。ワープロもパソコンもない時代に、野心的な試みが毎年繰り返された。二十代の私たちは杉浦さんたちとのキャッチボールが楽しくて、いままでの真っ白なような百科事典の紙面にさまざまな凹凸をつくった。

私は、ジャーナリスティックな百科事典の構想に関心があった。それも「一年遅れのジャーナリズム」をどう表現するのかに特別の精力を注いだ。無味乾燥な百科事典にしきりに傷をつけ、瘡蓋（かさぶた）のような時代の刻印にしようとした。

その頃日本では『ぴあ』をはじめ、情報の平準化と検索をめざす媒体が登場してきた。一番意識したのは一九六八年にアメリカで刊行が始まったスチュアート・ブランド編集の『ホール・アース・カタログ（全地球カタログ）』だった。Access to Toolsが彼のコンセプトだが、百科年鑑では道具のかわりに、情報の整理、知識の相関へのアクセスを模索した。

いま考えると編集部は杉浦さんのレベルにはるかに達せず、あのプロジェクトは終わっていたのかもしれない。本文テキストの水準が杉浦デザインマインドに追いつけなかった。しかし、私たち編集者は杉浦さんに徹底的にしごかれた。書籍を読者と著者を結びつける多面的、構造的なオブジェとして。冗漫で大量な文字よりも、これを視覚化し、フロー化、構造化すること。とくに百科事典などのレファレンス系の書籍にはこのことがいかに大事であるかを具体的に教わった。

立花隆さんを巻き込んだロッキード事件マップ、赤瀬川原平さんとの世相マップ、高木仁三郎さんとの原子力問題マップなど数々の「傑作」が生まれた。われわれは七〇年代にすでにマルチメディア的な編集の実験と精緻な表現の達成を経験しているのである。ハイパーリンクなどの言葉が使われる前に。

一九八〇年代に「ぴあマップ」で大活躍したモリシタの森下暢雄さんもこの百科年鑑で杉浦さんの厳しい要求に応えた。なにしろMacもない時代、地図や図版はすべてオペークしたフィルムをスクライブしてつくる。文字どおり手作り。7Qの文字でもコンマ以下の線でもすべてかけ合わせの杉浦さんのこと、色分けされたスクライブの版数は数十版というすさまじい数になった。校正で赤が入ればほとんどの版が作り直しだ。明け方に北区にある校正所に行ったことが、なぜかいま鮮明に思い出される。

印刷所には時間的な（実は能力的な問題があって杉浦さんたちの要求に応えられなかった）制約などがあったので、すべてフィルムまで仕上げて搬入するスケジュールが立てられた。四月末の発売にあわせていつも二月、三月は、写植屋さんとモリシタなどの製版所と杉浦事務所を駆けずり回るのが編集者の仕事だった。すべて貼り込みの完全版下を作成したわけだ。いまのことを考えると信じられない仕事だった。

谷村さんは百科年鑑のなかにありながら、先端的な杉浦さん（そして中垣信夫さんやそのあと中心になったのが鈴木一誌さん、海保透さん、赤崎正一さん）と守旧的な平凡社の編集部、製作関係、印刷関係の間にたって、ものすごく苦労したと思う。しかし、みごとな仕事をした。谷村さんは頑固であったし、筋を曲げない人であった。その意味では杉浦さんのデザインポリシーが不完全ながら百科年鑑で実現できたのは彼のおかげだろう。

平凡社での谷村さんの仕事は百科年鑑のほかに、テムズ・アンド・ハドソンのシリーズ“Art and Imagination”の翻訳『イメージの博物誌』の造本がある。編集は二宮隆洋（一九五一〜二〇一二）。このシリーズは七〇年代後期から八〇年代にかけて図像学的なアプローチとして一定の影響を世間に与えた。

私とは石子順造（一九二八〜七七）さんの『ガラクタ百科――身辺のことばそのイメージ』（一九七八年）を、石子さんが亡くなった後にまとめた仕事がある。この本が、付き物のデザインを一新して同じ平凡社から二二年ぶりに再刊された直後に、彼は倒れた。

いま新宿書房の図書目録を眺めている。谷村さんに本のデザインをお願いしたのは、八冊ある。

『【生活のなかの料理】学』（一九八二年）
『踊る日記』（一九八六年）
『仮面の声』（一九八八年）
『パルンガの夜明け』（一九九三年）＊

『ビルマの民衆文化』（一九九四年）＊
『神の乙女クマリ』（一九九四年）＊
『見世物小屋の文化誌』（一九九九年）
『見世物稼業』（二〇〇〇年）

このうち、最初の三冊は彼が平凡社の百科年鑑編集部から杉浦事務所に戻った後の仕事である。『踊る日記』は山形県大蔵村の役場の職員であり舞踏家でもあった森繁哉さんの踊る野帳だ。活版印刷。本文の小口やノドの余白には活版のインテルがまるで木っ端の判子のようにあしらわれている。刷り色は茶に近いレンガ色。

三冊目の『仮面の声』は横浜ボートシアターの遠藤啄郎さんの戯曲集。この頃には谷村さんは杉浦さんの事務所の番頭としてアジアに向かってさまざまなデザインの仕事をしていた。京劇、マンダラ。台湾、韓国、中国にも足しげく通うようになった。ネワール、ビルマ、ネパールの三冊は「双書　アジアの村から町から」（＊）のシリーズの本で、杉浦事務所を独立してからの仕事だ。

最後の見世物の二冊。『見世物小屋の文化誌』は谷村さんの仲立ちで、坂野比呂志大道芸塾（浅草雑芸団）の上島敏昭さんを紹介してもらったことから生まれた企画だ。谷村さんの割り切りのいい、シャープな造本になっている。

さよなら、谷村さん。

[2002. 2. 21]

付記

二〇〇三年一月に谷村彰彦追悼文集『天眞自在—彰彦忌』（谷村恵美子編）が出版された。二九八×一五〇ミリ、四八頁、企画＝杉浦康平＋赤崎正一＋佐藤篤司。谷村恵美子さんは谷村さんのお姉さん。およそ二〇人あまりの人々が文章を寄せている。そのなかで、和歌山県立田辺高校の同級生の文が興味深い。谷村さんは、ボート部に所属し、なんと国体にまで出場していたという。

踊る編集者　追悼　室野井洋子

室野井洋子さんが亡くなった。それもほんとうに急なことだった。

この数年、毎年春の四月か五月に、紀伊半島は熊野古道の近くに住む作家の宇江敏勝さん宅で、室野井さんはきまって滞在先の京都から、私は東京から駆けつけ、「民俗伝奇小説集」（既刊六巻、造本＝鈴木一誌）のその年の目次構成の検討に入るのが、いわば慣わしになっていた。

今年（二〇一七年）の会合も予定通り、四月一日から二日、宇江宅での編集会議。ふだんと変わらない彼女だなと、私にはそう見えた。私が帰ったあと数泊延長して、千歳行のＬＣＣ便を待つことも、例年と変わらない。しかし、宇江夫妻によれば、朝の散歩もしなかったようで、本人からも「結局体調不良のまま、外に出ず仕事をしました」（四月一三日のメール）。

五月二四日に「民俗伝奇小説集」新刊第七巻『熊野木遺節』の原稿整理をすませ、原稿データを送ってきてくれた。翌日二五日のメールでは「二、三日前から話すと咳が止まらなくて、電話ができないのです」。

五月二九日にテキストのチェックの後、組版の原島康晴さんの手にわたり、六月一日には初校出校。ようやく病院に行ったようで、六月二日には入院して処置をしてもらい、「うまくいけば来週には退院して普通にくらせるよていです」（六月二日）とメールが。そして「集中力がない、初校校正はパス、再校でふたたび参加する」という電話がきた。それでも、六月一三日には律義にも詳細な「用語統一表」を送ってきてくれた。

退院後、階段のない、一階の部屋に引っ越す、ついては私に保証人になってくれという。ほどなく、「東京だったら吉祥寺の外れみたいなところに引っ越しました」（六月一五日）とメールが来た。

それから、ふたたび音信不通になり、心配になる。六月三〇日に再入院したことをあとで知り、パートナーの高橋幾郎さんから七月三日に主治医から詳しい説明があるとの連絡があったが、翌四日の朝、「昨晩九時四九分、亡くなりました。肺癌でした」とのメールをいただいた。

告別式は七月六日の午後二時から、札幌市の山口斎場（JR手稲駅近く）で行われ、札幌の友人たちおよそ三〇人と、横浜から駆けつけたお母さん、お姉さん、姪の三人の家族と高橋幾郎さん、そして私に見送られ火葬された。生花や宗教的な儀式は一切ない、清い告別式だった。ここで私はブラジル在住の舞踏家・田中トシさんに久しぶりに会うことができた。

室野井洋子さんは、一九五八年八月二五日生まれだから、享年五八ということになる。私が一九八〇年に平凡社をやめ、ほぼ休眠状態だった新宿書房を譲り受けた翌年の八二年に、知人の紹介で初めての社員として入社した。編集者として最初に担当したのは、如月小春さんのデビュー作の『如月小春戯曲集』（一九八二年、装丁＝赤崎正一）。爾来、如月さんの数々の本は室野井さんの手から産まれ、その仕事は昨年二〇一六年一二月、如月さんの没後一六年を記念して出版された『DOLL／如月小春精選戯曲集2』（装丁＝赤崎正一）まで続いていた。

室野井さんは三年ほどで新宿書房をやめて、軸足をダンス（舞踊）の方に移したが、しかし、フリーとしてずっと新宿書房の編集・校正を手伝ってくれた。踊る編集者の誕生である。

一九八五年に出た、当時の写真植字メーカーの大手、写研から出版された『文字の宇宙』（構成＝杉浦康平、解説＝松岡正剛）の編集校正にも、室野井さんと私は参加させていただいた。

室野井さんは、矢川澄子（一九三〇〜二〇〇二）さんにとてもかわいがられ、信州黒姫在住の矢川さんの東京宿としてあった、杉並の阿佐ヶ谷の家で一緒に住んでいたこともあった。矢川さんのエッセイ集『風通しよいように…』は、一九八三年刊行（装丁＝渡辺逸郎）だが、矢川さんの発案で「十二支の物語シリーズ」は、一九八七年に第一巻『兎をめぐる十二の物語』（装丁＝鈴木一誌）から始まった（これは、龍、蛇、馬、羊、猿まできて中断、結局未完に）。矢川さんの死後発刊された『ユリイカ』（青土社）二〇〇二年一〇月臨時増刊号「総特集　矢川澄子・不滅の少女」は、室野井さんが遺した優れた仕事だと思う。

山の作家・宇江敏勝さんとの最初の本は一九八三年の『山に棲むなり』（装丁＝吉田カツヨ）で、以後編集を手がけた宇江さんの著作はのべ二〇冊を越えている。他に印象に残るのは、蘆原英了の本（装丁＝田村義也）、『大地のうた』『プラハ幻景』（装丁＝中垣信夫）、『エヴァの時代』（装丁＝早瀬芳文）、『見世物小屋の文化誌』『見世物稼業』（装丁＝谷村彰彦）、『S先生のこと』（装丁＝杉山さゆり）、斎藤たまの本（装丁＝伊藤昭、鈴木一誌）、黒川創の翻訳書や著作（装丁＝南伸坊、平野甲賀）、などなど。最近は、新宿書房の仕事以外はあまりやっていなかったという。どうやって暮らしているのかしらと心配したこともあった。

室野井さんのダンスの経歴は美学校のサイトを参照のこと。

また、二〇〇〇年から住まいを札幌市に移し、古本屋を始めたこともあった。そのいきさつは新宿書房のＨＰ内のコラムに残っている。

室野井洋子さん、長い間、助けてくれてありがとう。

[2017. 7. 17]

付記

室野井さんが亡くなった翌年、二〇一八年一〇月、『ダンサーは消える』（編集＝高橋幾郎・福間恵子、発行＝ザリガニヤ、発売＝新宿書房）が出版された。これは、ダンサー室野井洋子の四〇年にわたる実践の中で綴られた、踊り、身体、稽古の言葉を集めた本である。まさに踊る編集者、「ダンサー兼エディターの才女」（【松岡正剛の千夜千冊】0919夜より）であった。

岡留安則、『噂の眞相』、杉浦康平

ある朝、新聞の訃報欄の横に「故岡留安則さん（月刊誌『噂の眞相』元編集長）を賑やかに送る会」の記事を目にした。三月三〇日（二〇一九年）、市ヶ谷私学会館。呼びかけ人代表は評論家の佐高信さん、とある。

『噂の眞相』の創刊は一九七九年三月、休刊は二〇〇四年四月であった。岡留安則（一九四七～二〇一九）の訃報を出した各新聞、通信社の記事には、反権力スキャンダル雑誌を売りにした同誌を形容するくだりはあっても、表紙のデザインについて言及するものはなかった。

「表紙のデザインも独特のもの」と説明しているのはウィキペディアだが、そこにもデザイナーの名前はない。

『疾風迅雷　杉浦康平雑誌デザインの半世紀』（発売＝トランスアート、二〇〇四年）の第四章「……動き、うつろう。絵と文字のあやとり」のなかに八頁にわたって、『噂の眞相』の表紙画像が紹介されている。ここから、関係者のコメントをひろってみよう。

創刊は前述したように一九七九年三月号だが、一年たった八〇年四月号から、表紙デザインに杉浦康平事務所が関わることになる。そして、同誌の休刊する二〇〇四年四月号までの二八〇冊の表紙デザインを担当している。

判型はA5判変型（表1のサイズ：横一四五×縦二一〇ミリ）。担当したデザイナーは、杉浦康平のほか、歴代順に並べると、鈴木一誌（一九八〇～八二）、谷村彰彦（一九八二～九二）、赤崎正一（一九九三～九五）、王豪閣（一九九五～九九）、坂野公一（一九九九～二〇〇三）、島田薫（二〇〇三～〇四）である。

杉浦は次のようにコメントしている。

◎ノイジーな噂、ノワールな噂、生まれたての噂が紙面のすみずみで呼吸する。岡留安則が企らんだ現代の瓦版、『噂の眞相』は今日のジャーナリズムの盲点を突き、欲望にうごめくもう一つの日本を巧みに浮かびあがらせる。◎『噂』の表紙は鮮度そのもの。いきのいいイラストレーターの手技を切りとり、レトロなタイポグラフィと対峙させて見るものの左脳・右脳を刺激する。三ヶ月ごとに面目を一新し、別物のように装いながら、なおかつ「噂」そのものとなる……というデザインを試みた。

表紙デザインは三ヶ月ごとに変化し、年に四回そのスタイルを全く変え、年ごとに三人のイラストレーターが選ばれた。しかも渡辺冨士雄や国米(こくまい)豊彦などの新進のイラストレーターを起用し、イラストと文字との遊戯感覚あふれる競演がみどころだ。同誌の誌名ロゴさえもが激しく動き、うつろいながら、時代の推移をくっきりと映しだした。

編集長の岡留康則は言う。

杉浦さんとの最初の打ち合わせでは、初代担当者の鈴木一誌さんをまじえて基本路線を確認しあったが、私の要望はカストリ雑誌の雰囲気を出してほしいという一言だけだった。その打ち合わせの席で杉浦さんから、表紙に連動させる形で極太文字を使って各頁の左側に［一行情報］を入れたらどうかとの提案があった。これが後に『噂の眞相』の名物企画になり、……

初代の鈴木一誌も言う。

作業は、秀英体をベースにしたあらたなロゴをつくることからスタートし、装幀は、明治、大正、昭和初期の広告を擬しながら、毎号ロゴや文字の配置を変えた。表紙スペースは、水平垂直に縛られない空間だった。

杉浦康平（一九三二〜）はアジア図像学研究者、アジアンデザインの泰斗としていまなお第一線、しかも先端で活躍しているグラフィックデザイナーである。その仕事は多岐にわたり、その仕事を俯瞰すると大きく複雑な地図となる。杉浦康平事務所の初代スタッフの中垣信夫による「杉浦クロノロジー」（『杉浦康平・脈動する本―デザインの手法と哲学』武蔵野美術大学美術館・図書館、二〇一一年）を見ると、八つの地層の地下に広がる「杉浦デザイン」のその奥行きと深さに圧倒される。この『噂の眞相』が杉浦山脈のどのあたりにあるかを確かめるのは興味深いことである。

私は杉浦康平の社会派としての側面にもっと光を当てるべきだと思っている。一九六〇年の第六回原水爆禁止世界大会のポスター『原水爆禁止＋核武装反対！』（粟津潔との協同製作）（注1）や、『新日本文学』の表紙（一九六六〜六八）、一九七三〜八〇年の平凡社『百科年鑑』（注2）に一九七六年から始まった和多田進の晩聲社のノンフィクションやルポルタージュの装幀などの系譜である。この流れのなかに、『噂の眞相』はあると思う。

ついでに言えば、タブロイド版夕刊紙『日刊ゲンダイ』（日刊現代）の題字（ロゴ）をデザインしたのは杉浦康平である。

『噂の眞相』の誌名の由来は、敗戦の翌年の一九四六年三月に創刊された雑誌『眞相』（人民社、サブタイトルに「バクロ雑誌」とある）と、作家の梶山季之編の雑誌『噂』（季龍社、一九七一〜七四）にちなんだという。『眞相』は確かにカストリ雑誌ではあったが、三合（号）で（酔い）つぶれず、五六号まで出た。

注

1――岡村幸宣『《原爆の図》全国巡回』（新宿書房、二〇一五年）二三四〜二三五頁

2――杉浦康平『時間のヒダ、空間のシワ…［時間地図］の試み――杉浦康平ダイアグラム・コレクション』（鹿島出版会、二〇一四年）村山恒夫「紙の「マルチメディア」実験――『百科年鑑』生誕クロニクル」

［2019. 3. 15］

駆けぬけて六十余年、杉浦康平と仲間たち……

春の叙勲でグラフィック・デザイナーの杉浦康平さんが旭日小綬章（芸術文化功労）を受章された。二〇一九年七月一〇日、東京・千駄ヶ谷のレストランで、これをお祝いする会が開かれた。祝賀会のタイトルは「駆けぬけて六十余年、杉浦康平と仲間たち……」。

出席は、杉浦康平さん・祥子さんご夫妻、杉浦事務所の卒業生の中垣信夫、辻修平、海保透、鈴木一誌・文枝さんほか一九人と、これまで杉浦さんと一緒に仕事をさせていただいた編集者など二四人であった。司会は赤崎正一さん（元杉浦事務所、神戸芸術工科大学教員）。私も、挨拶をした。（注1）

＊

こんばんは。編集者の村山恒夫です。老編集者、まだ消え去りもしていませんが、まちがいなく老兵です。

杉浦康平先生、いや杉浦康平さん、奥さま。今回の受章、おめでとうございます。

杉浦事務所の内々のお祝いの会に、旧平凡社から私も含め山口稔喜、前田毅、及川道比古と四人もの編集者をお招きいただき、ほんとうにありがとうございます。

私が杉浦さんに初めてお会いしたのは、一九七二年です。もう半世紀も前、平凡社入社二年目のことです。

「百科事典の平凡社」といわれたその看板の『世界大百科事典』の内容が劣化し、毎年やってきた小手先の象嵌訂正などの対応では限界がありました。

それに後続の小学館ジャポニカの攻勢や新規参入の朝日新聞社（結局、一九七三年のオイルショックで撤退しましたが）の百科事典の企画発表などに危機感を持ち、『世界大百科事典』の増補として、また将来の新・世界大百科事典までのつなぎとして、年版の「百科年鑑」の構想が出てきました。

平凡社の事典や雑誌『太陽』のデザイン・装丁は、戦前の陸軍参謀本部、対外宣伝グラフ誌『ＦＲＯＮＴ（フロント）』の人脈から、原弘さんらの日本デザインセンター（ＮＤＣ）などにお願いしてきました。

新しい百科年鑑のブックデザインに白羽の矢がたったのは杉浦康平さん。その杉浦さんを平凡社に呼んできたのは、『百科年鑑』初代編集長の小林祥一郎さんと、ここにいます美術担当だった前田毅さんです。小林さんは以前、新日本文学会の月刊文芸誌『新日本文学』の表紙デザインなどで杉浦さんのお世話になっていました。

なにしろ「百科事典の平凡社」です。伝統があり堅固な、しかし停滞しきっている社内風土。その土壌の上に、杉浦さんと当時の中垣信夫さんら杉浦事務所のスタッフが、まさに舞い降りてきた

のです。(注2)

杉浦さんの登場には、社内では冷ややかな空気があり、印刷現場では相当な反発がありました。平凡社のグループには東京印書館、地図精版などの印刷関連の会社がありました。百科事典、各種の事典出版の経験から、電算写植（CTS）を早くから導入し、独自の書体をもっていました。

しかし、杉浦さんは本文見出しには写研さんの写植文字を使い、カラー別刷や特集頁はすべて写研文字です。赤字訂正はすべて写植文字の切り貼り作業です。

いまでも思い出すのは、深夜の田端の線路際にあった校正所を杉浦さんとふたりで訪れた時のことです。中年にさしかかった職人さんがひとり、われわれを待っていました。ここで杉浦さんはほめまくるのです。「いいね、でももう少し、ここの色を足してくれない」「ああ、うまいけど、もうチョビ」「いいね。もう一回」何回も色校正をするうちに、とうとう用意した校正紙がなくなります。そして職人さんが最後にこう言います。「もう一回やりましょう」

別刷の色校正の出張校正で、杉浦さんを先頭に杉浦事務所と年鑑編集者が朝霞にあった地図精版に大挙して押し掛ける。

ここ地図精版も同じです。最初は反発していた製版の現場がいつしか杉浦ファンに。インクを練る（調肉（ちょうにく）といいます）職人さんは自分の仕事が評価されるや、率先して色校の段取りまでを提案してくれるようになりました。その現場から、後にぴあマップの森下暢雄さん、ジェイ・マップの白砂昭義さんが独立し、その後日本の地図製作の中心となって活躍しています。

これは、杉浦さんが偉大なデザイナーであるだけでなく、優れた教師、先生だからです。杉浦さんにとって、印刷物であってもすべて自分の作品です。少しの妥協も許さない。現場の製版校正担当者を味方につけるためには、どんな努力もするのです。

従来の大量の文字だけだった百科事典の内容をいかに視覚化し、フロー化し、構造化するか。杉浦さんは、これを毎年、さまざまなダイヤグラムなどで実践していきました。いわく一年間の百科事典、ジャーナリスティックな百科事典を目指して。

立花隆さんのロッキード事件マップ、高木仁三郎さんの原子力問題ガイドマップ、赤瀬川原平さんの世相マップ……などなど。(注3)

杉浦康平さんの仕事をどう形容したらいいのでしょうか。私は「杉浦康平山脈」とでも名付けたいのです。それも火口には大きなカルデラ湖や大草原を抱える火山です。カルデラの縁には外輪山がある。これは杉浦さんのたくさんのテーマかもしれないし、あるいはお弟子さんたちの峰かもしれない。

杉浦さんはすべてのお弟子さんたちを抱擁し、またすべてをライバルとする。中垣信夫、鈴木一誌、赤崎正一、谷村彰彦……。そして私はいま杉浦さんにとっては孫弟子となる人たちとも仕事をしています。

来年八八歳を迎える杉浦さんには、「杉浦康平山脈」から下りる、つまり「下山（げさん）」という観念がない。下りたかと思うと、峠までに着くやまたちがう峰に向かわれている。そしてカルデラの周辺を逍遥されています。

杉浦さん、いつまでも、いつまでもお元気で！

注

1――当日の挨拶を復元、訂正・加筆している。

2――九九頁の注2を参照のこと。

3――各年の『百科年鑑』の別刷を抜いてまとめたものがある。『世界大百科年鑑スペシャル［一九七三～七九］』である。これは、一九八〇年五月に非売品として刊行された。この年の六月に私は平凡社を退職したが、最後の仕事だ。製作は宣伝課、編集は私、レイアウトは吉田カツヨさんで、一九七三～七九年のバックナンバーを杉浦さんには内緒で原版のフィルムを切り取って印刷・合本したもので、いわば宣材だ。

［2019. 7. 13］

編集単行本主義

編集単行本主義

戸坂潤のエッセイの中に「論文集を読むべきこと」というタイトルがあるそうだ。松本昌次（まさつぐ）さんの新刊『戦後出版と編集者』（一葉社、二〇〇一年）を読むうちに、その一部が同じ松本さんの『ある編集者の作業日誌』（日本エディタースクール出版部、一九七九年）からも再録されていることがわかり、旧著を拾い読みしていくうちに戸坂の文章のことを知った。松本さんは一九八三年から影書房の代表をつとめ、それこそ、小出版社の主として編集、校正から品出し、郵送までの雑務をいまも若い編集者と一緒に毎日汗を流してやっている。日本を代表する編集者であり、おそらく現役では最長老（一九二七年生まれ）のひとりだろう。

松本さんは「単行本づくりへの偏好」というエッセイでその戸坂潤の文章を紹介している。戸坂は論文集や評論集はあまり売れないから、書き下ろしの単行本を書けという本屋（出版社）のすすめに対して、一例として、絵の普通の展覧会はとても見るに耐えないけれど、「個展」は実におもしろいと言って、これに反論する。

一冊の本を例にとれば、論文集や評論集などは、著者の「個展」を見る思いがあり、一枚のデッサンやスケッチは原稿でいえば、数枚の小さな文章に比較できる。そこには大論文や長編評論・小説の主題に深く関係する原型がひそんでいることが多いという。

或る人の考えを最も特徴的に知ろうと思う時、私など最も頼みにするのは、その人の論文集や評論集なのである。(中略) 大がかりに書き下した「体系的」な著述の類は、云わば文筆的な儀礼が大部分を占めていて、筆者の本音は仲々伝えられるものではない。

(戸坂潤「論文集を読むべきこと」)

どんなに優れた著者であろうとも、一つの論文や評論ですべては言い尽くせない。他の作品、論文と関連しあい、相補いあうことによってはじめて著者の意図が理解される。それぞれの一篇一篇の「著者の思考の苦心の跡をたどる」ことによってはじめて、著者の思想を読者は諒解しうると、松本さんは書いている。

松本さんは単行本の持つ強靱な思想的・芸術的価値を深く信じてきたからこそ、経営的に最もつらい専門的な論文集の単行本を出しつづけてきたという。一九八三年五月三一日をもって三〇年と一ヶ月在籍した未來社で実に一七二〇余点の新刊に立ち会ったそうだ。

いわば「編集単行本主義」ともいうべき松本昌次さんの真骨頂は、この新刊の「丸山眞男」の項で大いに発揮されている。いわば、全集、選集の編集スタイルをどうするか、という問題だ。「著書スタイル」をとるのか、「著作編年体スタイル」をとるのか、という極めて重要なポイントを提示している。『丸山眞男集』（全一七巻、岩波書店、一九九五〜九七年）が、すべて著作編年体を採用していることに対して、こう言う。

例えばここに花田清輝さんの『近代の超克』（未來社、一九五九年）を持参したんですが、このなかに丸山眞男への反論が入っているわけです。これは全部やっぱり、この時のそのテーマに即して『近代の超克』というエッセイ集を編んでいるわけですね。つまり丸山さん批判とも関連するような文章が入っているわけです。これを全部バラバラにしてしまうと、一人の著者の年代順に整理された〝索引〟になってしまうんではないでしょうか。

編年体でいきながら、著書のあるものは著書として残す。そこには松本さんが苦心して編集して、ついに名著となった丸山眞男の『現代政治の思想と行動』（上下二巻、未來社、一九五六〜五七年）を誕生させたという、絶対的な自信が窺えるし、その単行本のもつ時代的、思想的意味を強調しているのだ。

一九八一年か八二年頃だろうか。当時、電通の出版広告にいた木村迪夫さんに案内されて、新社屋建設中とかいうことで、駒込駅近くにあった未來社の仮事務所に松本昌次編集長を訪ねたことがあった。

出版者として改めてスタートをするにあたって、松本さんのアドバイスをいただくためだ。

「集め本といってバカにしてはいけない。著作の断片を組みたてて、構成、演出することこそ、編集のダイゴ味なんです。モザイクのように組みたてて、欠けているところを書き足してもらったり、重複するところを削ってもらったり、結果的に、著者も予想しなかった広がりのある論文集、評論集が生まれるのです。スカスカな書き下ろしをもらってどうするんです。しかも、私たち小出版社が書き下ろしをお願いすることは著者に大きな犠牲をしいることになるんです」

松本さんの「編集単行本主義」は、小出版社の小部数出版という経済学的理由からも裏打ちされていたのだ。

著者から一顧だにされない小出版社。だからこそ、そこの編集者たちは著作をよく読み込み、よく調べ、シナリオを持って著者に提案し、口説き落とさなければならない。松本さんの新刊は、「著者とどう一緒に本を作るか」という、優れた教科書になっている。

さて、経済感覚も編集能力も高めてきている著者に対して、オンライン時代の編集者はどうすればいいのだろうか。それにもう、著者と膝を突き合わせて語り合った喫茶店もなくなってきている。

久保覚さんの仕事

その松本昌次さんが、戦後出た全集で最高の編集がなされたものとしてよく挙げるのが、『花田清輝全集』（全一五巻別巻二、講談社、一九七七〜八〇年）だ。これを編集したのが、久保覚（さとる）（一九三七

〜九八）さんだ。本名は鄭京默（チョンキョンムク）。現代思潮社、平凡社『太陽』編集部、せりか書房、御茶の水書房などを渡り歩いたフリー編集者だ。久保さんの人と仕事については、二〇〇〇年一一月に『収集の弁証法——久保覚遺稿集』『未完の可能性——久保覚追悼集』（発売元＝影書房）の二冊が刊行されているので、これを見てほしい。久保さんは『花田清輝全集』の編集、解題、校訂の仕事をほとんどひとりでやりとげたそうだ。

その出来栄えを見よ。花田清輝の断簡零墨までを、花田清輝の芸術活動の軌跡に沿っての編集も見事だが、周到極まりない「解題」、厳密な「校訂」など、寡聞にして比肩し得る他の全集をしらない。（ただ一つ、一九七六年一月から七八年九月にかけて晶文社から刊行された『長谷川四郎全集』全一六巻における、河出書房新社の編集者・福島紀幸の「解題」も抜群である。）

（松本昌次「ある編集者の死」『未完の可能性』）

しかも、久保さんの編集は、著書と著作編年体を併用した見事な仕事だという。『花田清輝全集』『長谷川四郎全集』、どちらも大きな図書館にはある。それもいまやほとんど貸し出されずに眠っているはずだから、ぜひ読んでほしい。どちらも、そのすさまじい解題ぶりには、ほんとうに圧倒される。すごい編集者たちがいたものだ。

[2001. 10. 12]

松本昌次さん

松本昌次さんが亡くなった。二〇一九年一月一五日、享年九一。

一九八一年か八二年のある日。電通の出版広告の営業をしていた木村迪夫さんに連れられて、未來社の編集長、松本昌次さんを紹介してもらう。小石川、伝通院の近くの未來社は、当時、新社屋建設中ということで、訪ねたのは山手線駒込駅近くの仮事務所であった。伝通院の未來社には平凡社時代、百科年鑑の仕事で、社長の西谷能雄さんの原稿をもらいに何回かお邪魔したことがある。西谷社長は出版界の論客として知られ、出版流通問題に一家言のある人だった。松本さんは、後年、西谷さんの本をまとめている。その本（『西谷能雄　本は志にあり』日本経済評論社、二〇〇九年）のサブタイトルには〈頑迷固陋（がんめいころう）の全身出版人〉とある。まさにそういう人だった。

松本昌次さんは一九五三年四月のある日、野間宏さんに連れられ、本郷の東大農学部前の東京大学基督教青年会館の一室にあった、八畳ほどの未來社の事務所を訪ねる。これが松本さんの未來社入社である。そこには、西谷社長のほか、二年前に営業部に入社していた青年がいた。小汀良久（おばま）さんだ。弱冠二〇歳そこそこの小汀営業部長。松本さんは当時二五歳。小汀さんは未來社に一〇年いて、一九六一年退社、六三年にぺりかん社創立に参加、六八年に新泉社を起こした（『出版人・小汀良久を偲ぶ』新泉社、二〇〇〇年一二月、私家版より）。

その未來社の仮事務所で、私は松本さんから単行本編集のイロハを教えていただく。松本編集塾の始まりだ。平凡社に一〇年もいたといっても、単なる百科事典編集者であって、その仕事はパーツに過ぎない。ただただ、小さな集団のテングであった。ひとりの書籍編集者としてはまるで素人であった私の目の前には、戦後を代表する編集者がいた。

「人はご飯を食べないと生きていけないが、本はなくても人は生きていける。本というものはその程度のもの。本は目的ではない、道具であり武器だ」と。そして、ひとりの作家、著者の本をつくる際、スカスカの書き下ろしでなく、さまざまな文を集めた「集め本」にこそ、編集の醍醐味がある。著者の小文をモザイクのように組み立て、どう構成、演出するかで、単行本の思想的、芸術的価値が増すのだと。このあたりことは、一度、コラムで書いたことがある（「編集単行本主義」）。

木村さんがいた電通は日本最大の広告代理店でありながら、中小零細の出版社にはお得意様は少なかった。というより、電通は零細出版など相手にしなかったのが実情だろう。一方で「電通は独占資本主義の手先だ」と真顔で言う版元経営者がまだまだいた時代だ。電通は嫌われていたのだ。

松本さんは木村さんを連れて、丁寧に一軒一軒零細版元まわりをしてあげた。じょじょに木村さんの顔は「本郷村」（本郷三丁目周辺に零細・小出版社が多かったので、そう言われた）では知られるようになった。木村さんは、電通買い切りの広告の枠から、料金を大幅に下げたり、直前に広告のアキがあれば「版下特急支給」を条件に密かに提供（他人にはけっして無料（タダ）とは言えない）してくれた。またたくまに、木村さんは元・現新左翼、元・現旧左翼の多い本郷村で有名人となった。電通の出版広告営業局の中で、次のような木村都市伝説が生まれたという。

「木村は取引出版社の数が一番多いが、取引総額は一番低い」

私も松本さんに連れられ、東販（東京出版販売、現トーハン）内を案内してもらい、当時まだ新刊の窓口にいた金田万寿人（かなだますと）さんに紹介していただき、半人前の出版社にもかかわらず、常備セットの短冊を出してもらった。金田さんはその後、営業部長、社長となり、二〇一三年に七二歳で亡くなられている。

松本さんは一九八三年に三〇年間いた未來社から独立、六月には影書房を設立。近年その影書房を後進に譲ったあとも、一編集者として現役だった。一葉社などで単行本の編集の傍ら、近年は「レイバーネット」に連載コラムを書いていた。映画評論家の木下昌明さんによれば、昨年、評判の映画『万引き家族』のことが気になり、狭山市の自宅から杖をついて有楽町の映画館まで行ったという。

最後まで松本さんらしい姿である。

松本昌次さんといえば、この人を抜きに語れない。庄幸司郎（しょうこうしろう）。庄さんと松本さんの物語はいずれまた書きたい。

松本昌次さんは、先述した西谷さんの本のほか、庄さんの本（『庄幸司郎　たたかう戦後精神——戦争難民から平和運動への道』二〇〇九年）も日本経済評論社から出している。

先日、デザイナーの桂川潤さんから、「松本昌次さんを語る会」のご案内をいただいた。これにあわせ、一葉社では松本さんの最後の本、『いま、言わねば――戦後編集者として』を近く刊行するという。

[2019. 2. 16]

付記

『いま、言わねば――戦後編集者として』は二〇一九年三月一五日に出版された。

最強のクロニクル編集者の戦死

西井一夫さんが、一一月二五日（二〇〇一年）に亡くなった。すさまじい闘病生活の果て、とうとういなくなってしまった。西井さんとは結局、本を一緒に出すことはなかった。ずいぶん前に昭和という時代をシリーズで考察しようと「モダン・イコノロジー双書」を企画したことがあった。結局、実現したのは、井上章一文、大木茂写真、鈴木一誌造本の『ノスタルジック・アイドル二宮金次郎』（一九八九年）のただ一冊のみであった。

そのシリーズで幻に終わった何冊かの一つが、西井一夫著『煙突』であった。明治の官営工場、札幌のビール工場、煙突男、お化け煙突、映画の中に描かれた煙突などなど。打ち合わせと称して、毎日新聞のなかにある喫茶店で、昼間からどのくらいビールを飲んだろうか。結局一行も書いてもらえずにとん挫してしまった。

西井さんの『カメラ毎日』時代は知らない。しかし、新宿にあったバー、花嵐館の前の道を夕方になると打ち水をしていた彼を知っている。一九八五年以降のクロニクル編集者、写真がわかる編集者、記憶の歴史編集者として、西井さんの仕事は、後世まで語り継がれるに違いない。お通夜、お葬式とも如月小春さんの本の追い込みで行けなかった。印刷所のミスもあって、動けなくなってしまった。中央線の最終電車の窓から線路脇にある荻窪のお寺に手を合わせた。

しばらくすると、奥様の配慮だろう、西井さんの最後の本『20世紀写真論・終章――無頼派宣言』(青弓社、造本=鈴木一誌)が送られてきた。本を開くと、「謹呈　著者」の短冊が。死んだ人から本を贈呈されたのは、生まれて初めてだ。奥付を見ると、一一月一五日。間に合ったのだ。まさに「サラバでござる」(同書「さらなる後記」より)。癌発見が今年の一月。それから、初出の文章に手を加える作業がどれほどつらいことだったろう。そしてこれが本書のウリなのだが、ともかく面白いのが、各章末尾にある書き下ろしの注記。これを読むだけでもいい、買って損はない。クロニクル編集部の戦友、今泉巳知江さんを回想した文章には泣かされる。かつてこれ程の悪筆のものもみないとまで言われた、西井一夫の文章がとてもいい。うまい。

二〇〇一年一月六日の正月。銀座のビアホールの広間に数百人をあつめ、西井さんの「毎日新聞卒業式と吉野の山奥に送りだす歓送パーティ」が行われた時、だれが一一月二五日の彼の死を予想しただろうか。本人さえ考えもしなかったはずだ。西井さんも過労死だ。如月小春さんも過労死だ。でも二人ともいい仕事を遺した。

最後にそのパーティで、西井さんが参加者に配った栞の「感謝のことば」もよかった。

西井さんが亡くなった翌年、「写真の会」の会報第51号(二〇〇二・三・一五)『追悼西井一夫』が送られてきた。編集は伊勢功治、デザイン+DTP組版は鈴木一誌と中里岳広。三〇人あまりの方の追悼文と鈴木一誌の「光の膜——思い出による西井一夫論」、西井本人のメールによる「西井一夫通信　病床日誌」など。西井さんは亡くなる最後まで饒舌だった。

追悼集のなかでは、約一三年間、西井の部下だったというライター・編集者の追分日出子の文章が面白かった。偏屈編集者、暴走編集者西井一夫の横顔を見事に描いている。そう、本当に暴走編集者だった。『20世紀の記憶』(全二二巻)の七年半もまさに暴走の所産。西井は常々、死ぬほど毎日新聞を嫌い、バカばっかりといっていたようだが、実はこの暴走を止められなかった、いや暴走をやらせていた毎日新聞出版局(の人たち)が、えらいのかも。

西井さん、サラバ、また会いましょう。

[2001. 12. 19]
[2002. 4. 21]

いつしか新しい灯台に向かっていた外回り社長

決まって夕方にぶらっと事務所にやってくる。新宿書房が灯台でも港でもないだろうが、定期船のようにやってくる。ただただ笑顔を見せるだけで帰ることも多いが、たまにその日にあったこと、出会った人について、いま計画している画廊での催しなどを問わず語り出す、こちらがすこし興味をしめすといろいろ資料を取り出したりする。晩年（?）は大人のぬり絵の企画の話が多く、知り合いの出版社の名前を出して紹介したこともあった。

この時間の語らいで、彼の実家が新宿書房の事務所のすぐ近くのマンションにあり、今は廃校になった九段の小学校の卒業生であること、奥さんとは同窓生であることも知る。たまにお茶を飲みお菓子を食べて帰ることもある。そして彼が私の出た中学校の隣にある都立武蔵丘高校出身で、お父さんが米軍基地出入りの八百屋さん、その縁でグアムの大学に留学したこともわかった。なぜかいま、大久保さんを思い出そうとすると、どうしても夏の林間学校の生徒のようなTシャツ姿、麦わら帽子に捕虫網、そして足元は下駄ばきになってしまう。

昼間、新宿一丁目にある島津デザイン事務所へ打ち合わせや出張校正に行っても、大久保さんに会うことはまずない。たぶんいつもの外回り社長なのだろう。しかしわが社への夕方の定期船での訪問では、「なにか仕事ないですか」「仕事をくださいよ」という声を彼から聞いた記憶がない。

それでも彼は編集プロダクション、私は小さな出版社の関係だから、大久保さんの手を煩わして何冊かの本の装丁や本文の組版をお願いしたことがある。その中でも一番印象に残るのが、アニカ・トールの四部作〔ステフィとネッリの物語〕(二〇〇六〜〇九年)だ。

全四巻の上製本を収める美しい函も作ってくれた。イラストは中山成子さん。二〇一〇年の著者の来日を記念したスウェーデン大使館でのイラスト原画展示では、その設営のすべてをやってくれ、四枚の絵葉書セットのオマケまで用意してくれた。イベント後、訳者の菱木晃子さんを交えた横浜中華街での打ち上げもなつかしい。

オークボさん。彼は尾崎放哉、あるいは小田原の海岸の物置小屋に二四年も住んだ川崎長太郎だろうか、いやむしろ高木護(まもる)だろう。

先日、荻窪駅前の小公園で「似顔絵1枚500円」の小さな看板の前でギターを弾いている大久保さんに似た男を見た。

彼はいま間違いなく、新しい灯台を目指しているにちがいない。外回り社長からアーティストへと舵を切っている、その予感を覚えた矢先の急逝だった。

本文は大久保友博(一九五七〜二〇一七)の追悼集(未刊)に寄せて書いた。

[2019. 1. 18]

平野甲賀さんが残した描き文字

三月二四日（二〇二一年）各紙の朝刊にデザイナー・装丁家・平野甲賀（一九三八〜二〇二一）さんの訃報が載った。三月二二日に肺炎のため死去、八二歳。葬儀・告別式は近親者で行い、喪主は妻の公子さん、とあった。

ある時、平野さんに装丁をお願いしたことがある。作家・黒川創（一九六一〜）さんによる日高六郎さんとの対話をまとめた本である。黒川さんは平野さんととても親しかった。二〇一二年の夏頃に、三人で当時神楽坂にあった日本出版クラブの喫茶店でお会いした。

いまあらためて、でき上がった本を手にとり、忘れていた日々を思いおこす。

私が黒川さんに最初に会ったのは、一九八三年のことだ。日高六郎（一九一七〜二〇一八）さんの紹介で、当時九段南にあった新宿書房の編集室にやってきた。京都の大学四年生で、卒業した翌年、上京してきた。新宿書房は彼を雇う余裕もなかったが、「日高六郎さんの自叙伝を聞き書きでまとめないか」と仕事を振ってみた。当時、日高さんは六七歳だった。私は、七〇年代に平凡社百科年鑑編集部にいた頃、編集顧問の日高さんにはいろいろお世話になった。鎌倉のお宅（当時）に原稿を取りに行ったこともあった。学者でもあったが、市民運動家でもある日高さんの存在そのものに興味があった。

それから黒川さんは時間があれば週末に、新幹線で京都の日高先生宅へ通い、インタビューを重ねる。テープを起こし、整理し、清書(!)した、優に本一冊分になる原稿を先生に託して、チェックと加筆を待った。ところがしばらくすると、日高さんからは、意外というか、いや真っ当な、というべき返事がきた。「あの原稿、目を通したんだけどね、やっぱり、自分の筆で最初から書き直したいんだ。だから、その参考のために預からせてもらっておくよ」。結局、この企画はそのまま立ち消えになった。それから二〇年が過ぎて、次の機会がやってくる。

それが、『日高六郎・95歳のポルトレ　対話をとおして』(黒川創、新宿書房、二〇一二年)だ。本書は二〇〇六年、二〇〇七年の三回にわたる新たなる対話をとおして生まれた、日高六郎の肖像(ポルトレ)である。二〇〇七年、日高さんは九〇歳を迎えていた。

カバーの天には、スケッチブックのバインダーをあしらい、画用紙をイメージしている。日高六郎の後にくる中黒(なかぐろ・)が、あえて二行目の頭に。そして、「対話をとおして」をサブタイトルにせず、同格にした平野甲賀さんの描き文字の三行。日高六郎の存在と著者・黒川創の役割と存在(聞き手の腕のさえ)をしめす装丁だ。

二〇一一年の東日本大震災のあと、平野甲賀・公子さん夫妻は東京から小豆島へ移住、そして甲賀さんの没地となった四国の高松市に。この一〇年間、平野ご夫妻は「平野甲賀作品」の整理と保存（アーカイブ）を続けてきたように思う。そして、すべてをリセットして『その船にのって』（二〇一六年七月に出航した小豆島発のオンライン雑誌）、新しい旅を始めていた。その船跡（ふなあと）の年譜をつくってみた。

二〇〇五年　新宿区神楽坂・岩戸町に「シアター・イワト」開設（〜二〇一二年）
二〇〇六年　『もじを描く』ソフトカバー・トレペ包装（188×130、60P）SUREの本だ。
二〇〇七年　「コウガグロテスク（06）」（描き文字フォント）発売
二〇〇八年　平野・黒川『ブックデザインの構想——チェコのイラストレーションからチラシ・描き文字まで』これもSUREの本だ。
二〇一一年　3・11東日本大震災
二〇一二年　三月、『アイデア』No.345　特集「平野甲賀の文字と運動」
「モジもじ文字」展　七月二八日〜九月九日、武蔵野市立吉祥寺美術館
一一月、『日高六郎・95歳のポルトレ　対話をとおして』（黒川創、新宿書房）
千代田区西神田に「スタジオイワト」開設（〜二〇一三年）
「平野甲賀・ビラとポスター展・1964—2012」一一月四日〜八日、西神田スタ

ジオイワト

二〇一三年 「平野甲賀の仕事 1964―2013展」一〇月二一日～一二月二一日、武蔵野美術大学美術館・図書館。母校での回顧展。ここには詳細な年譜が収録されている。

二〇一四年 小豆島に移住

二〇一七年 「平野甲賀と晶文社展」二〇一七年九月四日～一〇月二四日、京都dddギャラリー／二〇一八年一月二三日～三月一七日、ギンザ・グラフィック・ギャラリー

二〇一九年 高松市に引っ越し。寺小屋「マルテの学校」開校

二〇二〇年 『平野甲賀と』（NEAT PAPER）刊行

二〇二一年 『本の雑誌』四月号 特集「津野海太郎の眼力」平野甲賀「あの頃」

この『本の雑誌』のことは先日、本コラムで紹介した（本書一八〇頁参照）。小沢信男さんと同じように、平野さんのエッセイも遺稿となるのだろうか。同誌の中の「津野海太郎がつくった本25冊＋3」は、津野と平野甲賀の同時代史となっている。

晶文社に入った二十代半ばの津野がはじめてつくった本、それはまた平野甲賀がはじめて装丁した本でもあった。『ウェスカー三部作』（木村光一訳、一九六四年）だ。津野と平野は歳も同じであっ

た。そして、これ以後、平野は晶文社のほとんどの本の装丁を手がけることになる。

[2021. 3. 27]

大木茂写真集『汽罐車――よみがえる鉄路の記憶 1963-72』のこと

二〇一一年三月一一日。東日本大震災があり、東京電力福島第一原発事故が起こる。これから今日まで、九年の歳月が過ぎた。二〇二〇年二月現在、依然として約四万八千人が避難している。福一原発の廃炉作業も遅々として進んでいない。

二〇一一年三月一一日は私たちにとっても忘れられない日だ。九段下の事務所の書棚の本は崩れ落ち、足の踏み場もない状態になった。その中には、三月三日に発売したばかりの新刊の大木茂さんの写真集『汽罐車（きかんしゃ）――よみがえる鉄路の記憶 1963-72』（以下『汽罐車』と略）もあった。

写真家の大木さんとは一九七〇年代の半ばからの知り合いであり、新宿書房では八九年三月に『ノスタルジック・アイドル二宮金次郎』（文＝井上章一、写真＝大木茂、造本＝鈴木一誌）という金次郎像の生涯をさぐった「モダンイコノロジー」を出している。

それ以後も大木茂・晴子さんご夫妻には春のお宅での花見などにいつも呼んでいただいたりして、仕事抜きのお付き合いが続いていた。

大木さんのこの写真集の話は、ある日突然やって来た。写真集『汽罐車』の誕生には、私の友人である星川浩がキーパーソンとして登場する。

星川とは大学時代の友人だったが、卒業後(彼は中退)二〇年近く音信不通となっていた。ある日、四谷にある大学の中庭でばったり会った。奴は内ゲバの時代を掻い潜って生き延びてきたのだ。いまは映像関係の仕事をしているという。次に会った時、彼は「エベンノ」という名前の編集事務所を持ち、新しいパートナーと雑誌や書籍の編集校正の仕事をしているという。事務所名の由来は「呑んべえ」を逆に読んだものだ。それからの星川たちふたりの生活を一変させたのは、実はこの私なのだ。

一九九四年の一二月から、わが家では犬との生活を始めていた。ある人の紹介で、市川市の本八幡のブリーダーから、ラブラドール・リトリバーの男の子を分けてもらった。早速、新宿西落合のアパートから、犬のために借家を探して、保谷に引っ越す。ボロボロの家だが、敷地は九〇坪もあり、庭には大きな栗の木が二本もある。まわりには大きなケヤキのある農家や雑木林が散在していた。家の西側は広いキャベツ畑だった。

前から好きだった、田村隆一(一九二三〜九八)の詩、「保谷」の世界に移り住んで来たんだと、ひとり悦に入っていた。ここから、バスで三鷹駅に出て、そこから総武線で市ヶ谷の事務所に通勤した。

近くの東伏見には私の大好きな詩人の茨木のり子(一九二六〜二〇〇六)が住んでいて、詩集『倚りかからず』（筑摩書房、一九九九年）を出したのも、この時期だった。

ラブラドールには「ザック（ZACK）」と名付けた。毎週末に小金井公園で行われていた訓練士（ドッグトレーナー）の教室に通ったり、その訓練士の所属するJKC（ジャパンケンネルクラブ）という団体が主催する競技会に、今月は荒川の河川敷、来月は川越の川原へと熱心に参加するなど、生活のすべてはザックを中心にまわっていた。そんな私たちの暮らしをみて、星川もにわかに犬との暮らしに興味を持ち始めてきた。

私は保谷の近所にいた別のドッグトレーナーを紹介し、星川はオーストラリアで生まれたボーダー・コリーの男の子を手に入れる。大阪生まれの熱狂的な阪神タイガース・ファンの彼は、「ランディー・バース」（愛称ランディー）と名付ける。彼らの犬との生活は徹底していた。フリーで仕事をしていたことで、時間はたっぷりあったのだろう。当時流行り出していた、アジリティー（犬と人がペアとなって行う障害物競技）の競技会のために、関東周辺はおろか、遠く名古屋近くまで車で遠征していた。そして住まいも練馬から、保谷にも近い緑豊かな清瀬に引っ越した。彼らも武蔵野に来たのだ。

後に星川の犬仲間になったHさんが大木さんの大学時代からの友人のひとりだった。このHさんが中心となって大木写真集の企画を立ち上げる。このあたりのいきさつは大木さんのサイトにゆずろう。

鉄道写真集刊行委員会（本部は清瀬の星川宅）の、企画・編集会議は二〇一〇年の夏から始まった。

そこから秋まで編集、年内に校正校了、二〇一一年一月に印刷、二月に製本と進み、書店配本は三月三日の予定だった。

煙、スチーム、汽笛。
桜の鹿児島、流氷の網走……
蒸気を追った青春の残照
最新のデジタル技術で
今よみがえる「昭和の原風景」。
「蒸気機関車（蒸気）とその時代」の
眩い魅力が濃厚に詰まった
珠玉の写真集！
蒸気機関車（汽罐車）とは、
使い捨て物質文明に潰されてしまった
人々の優しい心根へのオマージュである。

これらの文章は、写真集の帯やチラシから抜きだしたものである。いま読むとやや気恥ずかしいところもあるが、「汽罐車」への熱い思いがあふれている。

映画のスチールの仕事をしている大木さんは旧知の俳優の香川照之に文を書いてもらう。香川は「あなたは感じるか? 感じるだろう。」というエッセイを寄せ、「この写真、匂うか、匂うだろう。」と叫ぶ。ブックデザインは鈴木一誌さんと杉山さゆりさん。

大木さんは高校一年生だった一九六三年から蒸気機関車の写真を撮り始め、大学を卒業する七二年までに撮影した二万七千カットの写真から選んで構成したものである。日本列島、北から南へ三一の路線を走る蒸気機関車（汽罐車）が登場する。

写真集『汽罐車』は〈幸運〉にも、大震災の直前に完成した。東北の製紙工場や板橋にあった洋紙倉庫の被災で、出版洋紙不足となり、われわれのような小出版の少部数の印刷はしばらくままならない状態が続いた。

写真集の完成後、出版祝いや販売会議の呑み会を始めたのは、震災から数ヶ月たった連休あけだったか。星川がこの頃から、体調不良を訴え始めた。秋になっても回復しないまま、清瀬にある国立の医療センターに入院する。重度の内臓の癌が進行しており、余命を宣告され、手術もできないという。幸いなことに、大木さんの鉄道仲間のひとりに、がん研有明病院に勤務するM医師がいて、彼の紹介で年末にそこに転院した。二〇一二年一月に手術に成功し、幸運にも春には退院することができた。その後、通院しながら、新しく加わっていたウーピーとリーベ、そしてランディーの三匹のボーダー・コリーとの生活、そして仕事もこなすことができた。新宿書房の仕事もいろいろやってくれた。ランディーは一四歳三ヶ月も生きた。そして星川は闘病七年、二〇一八年二月に亡くなった。

二月（二〇二〇年）の末に大木茂さんが九段下にやって来た。一つは三回忌となる星川浩への献盃のため。星川の遺骨は東京湾に散骨され、お墓もない。もう一つは、大木さん曰く「自分は葬式もしないから、生前葬としてまた写真集を出したい」。実は大木さん、昨年の八月二五日から一一月一〇日までの七七泊七八日！の鉄道旅（ロシアのソビエツカ・ガバニ～リスボン・カスカイス：二万四〇〇〇キロ）を敢行したのだ。書いた原稿は文字数二七万字、撮った写真は二三〇二カットもあるという。題して『七十二歳、老写真家ひとり　ユーラシア鉄道横断記』（もちろん、私が付けた仮題）。まず、原稿をともかくスリムにしてみたらということになった。

東日本大震災、東京電力福島第一原発事故以来、常磐線は富岡～浪江間（富岡、夜ノ森、大野、双葉、浪江の駅がある）が最後まで不通だったが、三月一四日には運転再開される。九年ぶりの常磐線全線運転再開だ。

いまあらためて写真集『汽罐車』の最後の見開き写真を見てみる。大木さん、東日本大震災、東京電力福島第一原発事故を予見していたのだろうか。

［2020. 3. 13］

付記

大木茂さんの本の編集は、昨年末に新宿書房があった九段下から離れ、現代書館に就職した原島康晴さんに引き継いでもらった。書名も『ぶらりユーラシア――列車を乗り継ぎ大陸横断、72歳ひとり旅』となって、七月三一日に無事発売された。A5判並製、五二八頁、定価三六〇〇円の大著の文明紀行になった。

空と声の記憶

山尾三省

1

島を一周する一〇〇キロメートルの国道を時計と反対回りに、屋久島空港からおよそ一時間程度行くと、一湊(いっそう)の漁村に着く。島の道路は以前にくらべてはるかによくなり、沿道の店も増えており、みなこぎれいだ。一湊から入る山道には見覚えがある。空気は生暖かく、たっぷり湿気を帯びているが、東京の人工的な暑さとは違う。身体が気持ちよく緩んでいくのがわかる。十数年ぶりの屋久島だ。

舗装された山道を、四人を乗せた軽自動車があえぎながら上っていく。後部座席の私は頭が天井について、ずっと前屈みの姿勢をとらざるを得ない。そのあいだ下から見上げるように山の緑を見続ける。告別式の会場になっている「白川山(しらこやま)集会所」に着いた時にはすでに午前一〇時からの式は始まっており、僧侶の読経の声が開けはなたれた集会所の窓から聞こえてきた。

山尾三省さんが亡くなったという知らせを受けたのは、八月二八日(二〇〇一年)の午前一一時頃、事務所へ届いた一枚のファクスからだった。月刊雑誌『天竺南蛮情報』の編集部のＹさんからの通信文には、二八日午前零時四分に自宅で亡くなられました、お通夜は二八日午後六時より、告別式は二九日午前一〇時より、それぞれ白川山集会所で行われます、喪主は妻の春美さんと書いてあった。

お通夜までに屋久島に着くには、時間がない、今晩鹿児島泊まりで、明日の朝の告別式までにはなんとか行こうと決めると、やや落ち着いた気分になり、何人かの人に連絡を取り始める。野本三吉さんは、すでに岸田哲さんから連絡が入っていて、「早かったね、ほんとうに残念だ」という。昨年一一月の奈良の大倭紫陽花邑(おおやまとあじさいむら)での集いで、三省さんの病気のことをすでに知っていたし、さまざまな民間療法を受けてきたことも聞いていた。三省さんはその時すでに体調を崩し、胃がんの末期であることが判明し、自らこれを公表し、自宅で闘病生活に入っていた。

七月末まで山と渓谷社の編集者だった三島悟さんに念のため連絡を取ってみる。彼は三省さんの生前最後の本となった『森羅万象の中へ――その断片の自覚として』を出したばかりだ。東村山の自宅にいた彼はなんと三省さんの死を知らなかった。相談してともかく最終便で鹿児島まで行き、鹿児島泊、翌朝の第一便で屋久島に行こうと決めた。彼はその後、会社への対応やアメリカのシエラネヴァタにいるゲーリー・スナイダーへの連絡に追われたらしい。私は三省さんの『回帰する月々の記――続・縄文杉の木蔭にて』（一九九〇年）を編集してくれた札幌のザリガニヤの室野井洋子さんにも連絡を取る。実は私は三省さんとの最初の本『縄文杉の木蔭にて――屋久島通信』

（一九八五年）の時は、とうとう屋久島へは行かずに、手紙や三省さんが上京する時を捕まえてなんとか、本を作った。それがずっと気になっていた。著者の暮らしているところへ必ず訪ねる、それが私の編集ルールだった。それで二冊目の本が出た時、初めて屋久島を訪れた。

告別式は山尾さんの家を通り過ぎ、橋を渡って、すこし坂を上り、左の急坂の脇道を駆け上ったところにある集落の集会所で執り行われていた。白川山に住む曹洞宗の僧侶がかなりながく丁寧に読経をしている。ちょうど小学校の一教室ぐらいあるだろうか、板張りの部屋に正面に祭壇がしつらえてあり、参列した人々がその前に座り込んでいる。天井がない、コンクリート打ちっぱなしの屋根裏の白い壁にはさまざまな昆虫がへばりつき、真下の告別式を見おろしていた。到着した時には式場の中に入る余地はもうなく、何人もの人々がおもいおもいの場所を選んで、集会所の周りに立っていた。われわれを飛行場まで迎えにきてくれた、ナオと呼ばれた青年もいつのまにか背後にいて、じっと式を見守っている。ニワトリの鳴き声と蟬しぐれが盛大な音量で足許を揺るがす。

正面の三省さんの遺影はいつ頃の写真なのだろうか。焦点の甘いカラー写真が飾られていた。左右にたくさんの献花がおかれるなか、ひときわ大きな字の名札が目に付く。「田口ランディ」。このインターネットの人気コラムニストが三省さんとどういう関係があるのだろうか。そういえば、人気が出る前、彼女は屋久島のガイドエッセイを出していたな、その時の知り合いかな、とも思った。それよりさらに目を奪われるのが、いずれも高さ三〇センチを超えると思われる左右二段の弔電の山だ。昨日の三省さんの死は、すぐさま夕刊紙やインターネット情報で日本中に流され、多くの人々の心を騒がせたのだろう。その弔電の高い山から、さまざまな声が聞こえてくるようだった。

ふと気がつくと、黒と白と茶のやせこけた三匹の村の犬が、集会所の近くに座りこんで式をながめている。ときたま、谷から吹いてくる涼風を受けながら、外にいたわれわれは入口受付に置かれた、香炉がわりの古い壺に向かって、めいめいが焼香をする。

[2001. 8. 30]

2

一一時をだいぶまわり、告別式が終わって、出棺。三省さんの戒名は生前、自身で考えていたものだという。「三信院永劫光明帰命居士」。急坂を男たちがそろそろと下りてゆき、三省さんの入った柩は下で待っている霊柩車に納まる。遺影と位牌がないと、だれかが急いで取りに上って行く。霊柩車を坂の上から参列者が見下ろすような配置のなかで、喪主の春美さんが挨拶をする。

小学生の三人の遺児を横において、春美さんは挨拶を始めた途端に嗚咽で言葉がでなくなる。どうなるか皆をはらはらさせたが、すぐに立ち直って、みごとに次のようなことをいわれた。

それは、三省さんが、この六月にある雑誌からリレーエッセイ「父の遺言・母の遺言」への原稿を求められた際に、これを「子供達への遺言・妻への遺言」という題にかえて書いて出したという、エピソードだ。

第一の遺言。生まれ故郷の東京の神田川の水を、もう一度飲める水に再生してほしい。あの水がもう一度飲める川の水に再生された時には、劫初(ごうしょ)に未来が戻り、文明が再生の希望をつかんだ時になる。

第二の遺言。この世界から原発および同様のエネルギー出力装置をすっかり取り外してほしい。自分達で作った手に負える発電装置で、すべての電力がまかなえることが、これからの現実的な幸福の第一条件であると考える。

第三の遺言。南無浄瑠璃光・われら人の内なる薬師如来。われらの日本国憲法の第九条をして、世界のすべての国々の憲法第九条に組み込まさせ給え。

最後に三省さんは、「あなた方は、この三つの遺言に責任を感じることも、負担を感じる必要もありません。あなた達はあなた達のやり方で世界を愛すればよいのです」と結んでいる。

そして、終わりに春美さんは力強く、これからひとりでも多くの人に三省さんの文章を読んでほしい、それが三省さんの言葉と思想が永遠に生きつづけることになります、どうかよろしくお願いします、と挨拶を結んだ。

三省さんは何冊の本を遺したのだろうか。近くにいた野草社（新泉社）の石垣雅設さんはたちどころに三四冊と答えてくれた。東京に帰ってから、国会図書館のサイトで検索してみると、山尾三省著、共著、共訳など三三件が表示される。このうち、『縄文杉の木蔭にて』は増補新版も入っているので、これを除くと三二冊か。それに、二〇〇一年夏の最後の二冊『リグ・ヴェーダの智慧――アニミズムの深化のために』と『森羅万象の中へ』を入れると、そう三四冊の本を遺したことになる。

私が出した本は先述した『縄文杉の木蔭にて』『縄文杉の木蔭にて』（増補新版、一九九四年）、そして『回帰する月々の記』だけである。どれも「生活者」時代の三省さんの代表作だと思っている。そのなかで、最初の『縄文杉の木蔭にて』に収録し、二つの本をつなげる意味で三省さんのたっての希望で『回帰する月々の記』の冒頭にも重複して収録したエッセイに「晩御飯」がある。これは、私がもっとも好きな文章である。

三月二五日、終業式が終わって、子供たちがそれぞれの成績表を持って帰ってくる。その日の晩御飯でささやかながらお祝いをする。妻がスシを握る。三省さんが子供たちに語りかける。そして、最後にこう言う。

マツオのにぎりズシと、黒魚のアラの吸物の祝いの食卓に向かいながら、僕がひそかに思っていたのは、ここに居る子供達の一人でも二人でもいいから、怠惰や敗北感からではなく、積極的に大学進学などを選ばず、本当の希望において、手職の仕事に就きたいと願う子供が出てこないか、ということであった。僕が自分でそうであると自認している、この詩人という仕事もむろん手職の仕事に属するのだが（体を動かさない机上の詩人とは、詩人の堕落である）、それも含めて手職の仕事に、次代の夢を託したいのであった。

たとえばそれは、次郎、お前は、船乗りにならないか。海を見つめ、海と語り、海が神であると深く識る者にならないか。

たとえばそれは、踊我（ヨガ）、お前はパン屋にならないか。パンを焼き、パンを売り、人々にパンという幸福を供するものにならないか。なぜなら、お前が一番望んでいるものは、幸福と呼ばれる光、であるように僕には感じられるから。

良磨（ラーマ）、お前は焼物師にならないか。沖縄にでも行って、優れた琉球焼の伝統を身につけ、土と火が、慈であり悲でもある真理を、探りつづけてみないか。そしてまた、女の子である裸我（ラーガ）、お前は僕のあとをついで、百姓でありながら詩人でもある旅を、女の側から歩いてみる気はないか。生きることは、自然への永劫回帰であると、僕とは別の言葉で語ってはくれまいか。

この文章に出てくる子供たちはみな大きくなって、われわれの前にいて、いま父と最後の別れをしようとしている。三省さんには、先妻順子さんとの間に四男、友人の子供を引き取って養子にした一男一女、そしていまの奥さんの春美さんとの間に二男一女、合計九人の子供がいる。この九人の子供たちも、鹿児島や大阪やアメリカから父の葬儀のために、連れ合いや子供たちを連れて、全員ここ屋久島に集まっている。

われわれは、白川山を下りて、一湊の町に出た。今度は時計回りに島を回り、空港も通りすぎ南の隣町にある、火葬場に向かった。

[2001.9.12]

3

「屋久島が生んだ世界の偉人、山尾三省先生のご遺体をこれから火葬場にお連れします」と霊柩車の運転手が挨拶、一礼して、ドアを閉める。この時初めて、摺り鉢状の斜面に立ち尽くす人々の姿を見上げることができた。親族そして集落、村、島外から集まった人々。礼服の外にふだん着の人も多い。そして若者の姿が多い。半ズボン、黒いTシャツやランニング姿や農作業着の人。しかし、みなそれぞれの弔意を身体全体で現わしていた。およそ二〇〇人は超えると思われる人々（『南日本新聞』によれば約四〇〇人）が、一つの気持ちになって、静かに三省さんを見送っていた。悲しみだけでない、なにかそこにかたまりというか力を感じた。

みんなの前を霊柩車がゆっくりと下がっていく。先ほどの運転手のその物言いが、自分のこころの中に素直にしみ込んできた。そう、大事なものが失われたと同時に重いものがいま残されたと確信する。親族の乗り込んだ大きなバス一台が続く。残った人々は山道を歩いて、下に駐車してあるめいめいの車に向かう。私も山渓の三島さんと一台のワゴン車に同乗させてもらう。

私の隣の席は、白川山の住民で手漉き和紙職人の小林慎一さんだ。彼も屋久島に住み始めて一八年になるという。火葬場へはたっぷり一時間以上かかった。途中、小林さんにいろいろ、島の説明をしてもらう。

火葬場は山道を上り詰めて、行き止まりのところにあった。まわりには集落がない。看板には「国民年金特別融資施設屋久島火葬場（屋久島衛生処理施設）」と書いてある。火葬の係の人はただひとりで、制帽などはかぶらず、理科の実験用の白衣のようなものを着ている。読経のあと、みなが焼香を済ますと、火葬が始まり、建物の横にある低いエントツからすぐに黒い煙があがる。三島さんが、すごく生々しい火葬場だなと呟く。

火葬場の前は小さな広場になっていて、横に遺族や参列者のための休憩所が建てられている。配られた缶ビールを握って立っていると、ひとりの青年が近づいて挨拶する。「兵頭です。前に新宿書房でアルバイトをさせてもらいました。いまはここにいまして、今日は取材をしています」。差し出された名刺には、「南日本新聞社屋久島支局記者　兵頭昌岳」とある。出版関係に就職したいという彼の願いに何の手伝いもできなかったが、彼はいまはりっぱな記者となって、目の前にいる。

兵頭さんの父は兵頭昌明さんといい、廃村になっていた白川山の集落に三省さん達が定住できるように尽力した人だ。その後長く「屋久島を守る会」の代表として、三省さんらとともに、島の西部にある原生照葉樹林帯の伐採に反対してきた。今日は三省さんの葬儀委員長をつとめている。

長井三郎さんに、一〇年振りに会った。島出身で東京の大学を出てからここに戻って、当時は島の文化雑誌の編集をしていた。いまは民宿を経営しているという。彼の話から、同じ頃、中垣信夫デザイン事務所を辞めて、屋久島にわたり、木材加工センターに勤めながら、デザインの仕事を始めていた及川恭雄さんのその後の消息もわかった。彼は結婚して、屋久町のクラフトセンターでデザイナーとして大いに活躍しているそうだ。

初めて屋久島を訪れたのは、二冊目の『回帰する月々の記』を出した後だ。この本は、読んでいただくとわかるのだが、三省さんにとって、大きな出来事が一冊の本の中を横断している。冒頭の「晩御飯」で始まる島の日常は、妻順子さんの突然の死で急変する。順子さんを愛した三省さんの悲しみが綴られ、一つの文に織り込まれていく。そして、「色即是空　空即是色」の文章で読者は愕然とする。三省さんの悲しみの深さに胸を衝かれる。

夜更け、まだ墓がないゆえにそこに骨が安置してある書斎兼礼拝室の離れに行さ、久し振りに白布に包まれた彼女の、二つあるうちのひとつの骨壺を取り出し、その最上部に置かれてある頭蓋骨の一部を食べた。焼場の人が、ここが一番大切だからと、足のほうから順に拾うことを指示してくれ、最上部に頭蓋骨の円い部分をかぶせておいたものである。

彼女の骨を食べたのは、火葬したその夜とそれから初七日が明けた夜と合わせて、今度が三度目である。

最初の夜と初七日の夜には、ひとかけらも残さぬようにとて二つの骨壺に納めてきたもののうちの小さいほう、つまり正規の大きい骨壺に納め切れなかったほうから取り出して食べた。焼場の人がいう一番大切な部分を食べることは、なにとはなしにはばかられたからである。

けれども今回は、なぜかは分らぬがその一番大切な部分を食べたくなり、手のひら一杯の大きさの円い骨から一センチ四方ほどをかき取って、観音様の前に正座しつつそれをゆっくりと食べた。骨は焼け切れていて、部分的にピンク色をしており、せんべいのように軽く、カリカリと口の中に砕けて粉となった。少し塩からく、海の味がした。順子は、女の人というものは、骨になってまでも海の味をその内に宿している、という、有難い感触があった。以前の二度の時は、淋しくて淋しくてただがむしゃらに食べたので、それを味わう余裕などなかった。それからほぼ九ヶ月経ったいまは、淋しいことは以前にも増して本質化してきながらも、そのことに馴れることも習い、ゆっくりと骨を味わうこともできるようになったのだろう。骨はまだ二つの骨壺いっぱいにあるのだから、少しずつ食べるならば、僕が生きている間じゅう持つかも知れない、ふとそんなことを思ったほど、海の味のするその骨はおいしかった。

そして、「あとがき」で読者はもっと驚かされる。それからまもなく三省さんが春美さんという女性と再婚して、早くも子供まで生まれているのだ。これを読んで、本気で怒った編集部の女性もいた。この時、かなりの女性の三省ファンの間に動揺が起きたに違いない。順子さんを知る友人たちの間でもそうだろう。

島に来た翌朝六時頃、春美さんの用意してくれた朝御飯をいただき、三省さんの運転する軽トラに乗って、私たち二人は縄文杉を目指した。車を停めて、森林鉄道の軌道の上を二人で歩く。三省さんの足は早い。私は枕木の間隔に歩幅を合わせるのと、三省さんのスピードに合わせるのに忙しい。梅雨の季節だったようだが、青空が左右の山の間に大きく広がっていた。時折、滝のように線路の上に降り注ぐ川水で顔を洗ったり、飲んだりした。

ひたすら、歩く。ほとんど無言で歩く。聞こえるのは、鳥の声と川の水音だけだ。縄文杉に会うには、往復八時間かかるのだ。道中、ほんの数人にしか会わない。かつては映画館もあったという小杉谷の営林署の跡地を通る。桜並木が残るグランドだけがわずかに小学校があったことを伝える。その土手の上で三省さんとお茶を飲む。ようやく会えた縄文杉は周囲が無残に伐採され、まる裸で原野にぽつんと立っているようだった。三省さんは縄文杉の肌に手を触れ、読経しながら、回りを数回まわる。一般に紹介されたのが一九六六年なのに、縄文杉の肌は皮が剝がされていたりして、そうとう荒れている。根元に塩を盛っていった者もいる。

今回泊まった民宿に置いてあった「YAKUSHIMA　マナーガイド」（屋久島山岳部利用対策

協議会発行）をみると、縄文杉の周辺はもっとすごいことになっている。周囲は立ち入り禁止になっていて、登山者は展望デッキから縄文杉を眺めることになっているようだ。

屋久杉からの帰りも早かった。それでも麓に帰ると既に日が傾いている。白川山へ帰る途中で鉱泉に寄る。夕暮れの湯船につかる。三省さんは小柄だが骨太の逞しい身体をしていた。湯気の中で眩しいほどだった。生活者、農民詩人にふさわしい身体だった。うまくいかなかった結婚や子供のことをうじうじ引きずっていた自分に比べて、三省さんは、生活の達人だな、と思った。三省さんの言葉を思い出す。

「私の一生は子育てですよ」とポツリと言われた。このことはどこかにも書いている。そう、三省さんは家族の生成と磁場の中から、言葉と思索を紡いできたのである。順子さんと春美さんと九人の子供たちの力によって、三省さんは生きてきたのである。

いまここに、『日没国通信』の第一一号（一九八五年七月三〇日発行）がある。新宿書房の小冊子だ。『縄文杉の木蔭にて』にはさんだ月報だ。ここに三省さんのエッセイ「十度目の梅雨を迎えて」が収録されている。この文章は、「生活者」三省さんの一つのピークを示すものだ。どこにも収録されていないようなので、ぜひ読んでほしい。いい味がでている。その文章の前に囲み記事で三省さんの紹介をしている。

山尾三省　一九三八年生まれ

伝説の人である。そして実践の人でもある。早くからのコミューン活動、インド巡礼、無農薬野菜の八百屋、そして屋久島での百姓。我々が高度成長に酔い、政治の季節を迎えていた時代から、すでに人間の寂しさと哀しさを知り、心豊かに暮らすことを追求してきた人である。

いま読むと、気恥ずかしくなる文章だが（文責・村山）、内容に間違いはない。しかし、それでもわれわれはそれから数年してバブルの時代を謳歌したのである。私はバブルの恩恵を一切受けなかったし、その才もなかった。しかし、ある晩に出版のビジネスのあまりの小ささに失望して、この仕事を捨てようと思ったことは、正直にいうと実はあった。その後、われわれが泡の中で躍り狂っているあいだに、屋久島から世界を見つづけた三省さんは、ゆっくりとアニミズムの世界にたどり着いている。

火葬場から白川山の集会所に戻り、初七日の法要が終わった午後四時、隣の種子島から、宇宙開発事業団の新鋭主力ロケットＨ２Ａが打ち上げられ、成功したことを後で知った。まさに三省さんの魂がアニミズムの一部に還った時である。そう、三省さんは縄文杉から解放されて、一つの石ころになり、一本の草となった。

[2001. 9. 19]

4 屋久島までの長い長い物語

三省さんの本を三冊作らせてもらった。正確にいうと、二冊で、あとの一冊は増補新版で、合計三冊である。最初は一九八五年の『縄文杉の木蔭にて』（装丁＝鈴木一誌、写真＝日下田紀三）、次に九〇年の『回帰する月々の記』（装丁＝鈴木一誌、写真＝山下大明）そして九四年の『縄文杉の木蔭にて』（増補新版。装丁＝吉田カツヨ、写真＝大橋弘）である。

当方に販売力や広告力もなく、どれも申しわけない程度しか売れなくて、三省さんや屋久島の自宅にある山尾書店には迷惑をかけっぱなしだった。なにしろ、最初の『縄文杉の木蔭にて』の初版三〇〇〇部を全部売り切るのに、九年もかかってしまった。それでようやく増補新版を出すことができたのである。

八四年頃だったろうか。西荻窪にあったプラサード書店でのことだ。プラサード書店は『聖老人――百姓・詩人・信仰者として』を八一年に刊行していた。その頃の店主のキコリさんの連れ合いに、三省さんの本を出すことで意見を聞いたことがある。まだ、三省さんが本を三冊ぐらいしか出していない時だった。「少し、繰り返しが多いね」と生意気な意見の私に対して、彼女は「三省さんの本なら、なんでもいいのよ。みんな、どれでも読みたいのよ」と言う。たしかに卓見だ。すでに三省さんの本の力を見抜いている。そして、彼女は三省さんの本を出しなさいと、強く勧めてくれた。

足は遅いが、しかし、三省さんの本はほんとうに息が長い。毎月、毎年、ずっと絶えることなく注文がある。そしていつの間にか、在庫が減っている。出版社にとって、不思議な著者のなのである。いまは一年いや半年で本の運命は決まる。動かない本はテコでも動かなくなる。三省さんは短期的に考える編集者や出版社には向かない著者かもしれない。しかし、三省さんの本は、これからますます、ゆっくりだが絶えることなく読み継がれていくに違いない。

いま三省さんのことで一番知りたいことは、七七年に屋久島に行くまでの個人史および家族史だ。六〇年に大学を中退して、六七年にコミューンの部族に関わり始める頃のこと。

山尾三省は、六七年にヒッピーのグループ「部族」を結成するが、その実践は長野県富士見高原の「雷赤鴉（かみなりあかがらす）族」、鹿児島県トカラ列島諏訪之瀬島「がじゅまるの夢族」、国分寺の「エメラルド色のそよ風族」のコミューンの誕生をみた。

部族では、ビート詩人のアレン・ギンズバーグやゲーリー・スナイダーとの出会いがあり、日本のヒッピーの元祖、ナナオ・サカキ（一九二三〜二〇〇八）がその中心にいた。

ゲーリー・スナイダーの『惑星の未来を想像する者たちへ』（山里勝己ほか訳、山と渓谷社、二〇〇〇年）の中の「歩いて生まれる」はナナオ・サカキの詩集『鏡を壊せ』の前書きを収録したもので、ナナオのことを「日本から現れた初めての真にコスモポリタンな詩人のひとりである。しかし彼の思想と霊感の源は東洋や西洋よりも古く、そして新しい」という。

「ひとりひとりが神だという真理」をもった部族の火種はいま、どこで、誰が、ずっと絶やさず保ち続けているのだろうか。

『縄文杉の木蔭にて』には、六〇年安保全学連委員長の唐牛健太郎（かろうじけんたろう）が一九八四年三月に四七歳で死んだ時のことが書かれている。


三月三日、例年であればすでに満開に咲いているはずの、家の前の桃の木にはまだ固いつぼみがこびりついているだけだった。北西風がごおごお吹き荒れている三月四日、唐牛健太郎が癌で逝ったという知らせを聞いた。直腸癌の手術をして経過は良好だと噂に聞いていたので、癒ったものとばかり思っていたがそうではなかった。強い衝撃と深い悲しみに打たれて、僕は茫然とした日々を過ごした。社会的歴史的に見れば唐牛の死は、かつて六〇年安保闘争と呼ばれ、年ごとに風化を続け、二五年経た現在ほぼ風化しつくしたかに見えるその「精神」が、彼の雄々しい死をもって無残に風化完了したことを意味するが、僕個人にとっては、赤フンと呼んだ深くやさしい魂が、肉体を棄てたことを意味していた。

この島にも唐牛の友人である者が二人ほど居り、それぞれに彼の死を悼んでいるはずであったが、僕はその二人とさえ会いたくなくて、自分一人で彼の見送りをすることになった。妻子が寝静まった夜更けに、焼酎とつまみを用意して、勉強机に向かって一人でゆっくりと飲みはじめた。酔うにつれて、彼が大好きであり僕もまた大好きである『網走番外地』という唄がおのずから唄いたくなり、彼と自分だけにしか聞こえない低い声で、一番から四番までをゆっくりと二度唄った。涙がとめどなく流れるのは、致し方ないことであった。

（「桃の花」）

唐牛健太郎と三省さんとはどのような知り合いだったのだろうか。この本を出す際に三省さんに聞くのを忘れた。図書館で島成郎の『ブント私史』（批評社、一九九九年）と『唐牛健太郎追想集』（同刊行会、一九八六年）を借りて、ざっと読んでも三省さんの名前はでてこない。唐牛は三一歳だった一九六九年四月に鹿児島から与論島に向かう。そして翌年の六月、同島で安保闘争一〇年目を迎えて、七月には与論島を離れる。どこかに二人をつなぐ糸がある。安保世代のほとんどの者が市民社会に復帰したなかで、二五年以上にわたってひとり彷徨してきた輝く安保全学連委員長と屋久島の農民詩人、三省さんとのつながり。

唐牛健太郎の寂しさをいちばん理解していたのは、三省さんではないだろうか。三省さんの屋久島までの長い長い物語を知るために、だれかがいつかは書く、三省さんの評伝を早く読みたい。

本稿は、屋久島の季刊誌『生命の島』「山尾三省追想特集」（第五八号、二〇〇一年一二月）に寄せた文に加筆したもの。

如月小春

1

如月小春（本名楫屋正子）さんは昨年の二〇〇〇年一二月七日に、立教大学の講師控え室でクモ膜下出血を起こし意識を失い、そのまま一度も意識が戻ることなく、一二月一九日六時三〇分に亡くなった。享年四四。

一二月二一日にお通夜、二二日に葬儀が武蔵野市の延命寺でそれぞれ執り行われた。葬儀委員長は作家の黒井千次さん。告別式では劇作家の永井愛さんや音楽家の高橋悠治さんら友人たちが弔辞を読んだ。高橋さんの弔辞や喪主の楫屋一之さんの挨拶のなかに二人がまるで申し合わせたかのように引用した彼女の言葉があった。

都市
ソレハ　ユルギナキ全体

絶対的ナ広ガリヲ持チ　把握ヲ許サズ　息ヅキ　疲レ　蹴オトシ
ソコデハ　全テガ　置キ去リニサレテ　関ワリアウコトナシニ　ブヨブヨト　共存スルノミ
個ハ　辺境ニアリ
タダ　辺境ニアリ
楽シミハ　アマリニ稚ナクテ　ザワメキノミガ　タユタイ続ケル
コンナ夜ニ　正シイナンテコトガ　何ニナルノサ

1980-81・TOKYO

都市のなかで育ち、都市の精神を発信し続けた彼女の代表的なフレーズである。この言葉は延命寺にある如月小春さんの真新しいお墓の墓銘として刻み込まれている。

如月小春さんが亡くなって、数多くの人々が彼女の仕事と生涯についてふれた。とくに印象に残るのは今野裕一（ペヨトル工房）と小崎哲哉（REAL TOKYO）のものである。今野のコラムでは土方巽と寺山修司と彼女の出会いが語られて興味深い。

演劇評論家の西堂行人（にしどうこうじん）は「如月小春～都市のなかで演じる」を書き、彼女の演劇を中心とした人生とマルチな仕事ぶりを極めて明瞭にスケッチしている（季刊『PTパブリックシアター』第一二号、二〇〇一年七月、れんが書房新社）。

西堂は演劇の「第三世代」のひとりを担ったはずの如月小春さんが、早くから小劇場のシーンを離れ、音楽や美術や音楽とのコラボレーションの空間の構築へと移って行った二十代、結婚、出産という出来事を迎えた三十代、そして子供の演劇ワークショップとアジア女性演劇会議を推進した四十代までの軌跡を次のようにいう。

二十代の如月小春は「利発さのなかに繊細でガラス細工のように壊れやすさを同居させていた」が、三十代の彼女は「傷つきやすさはすっかり影を潜め、たくましい運動家の姿にとって代わられた」のである。

表現者にとって三十代とはさまざまなことが積み重ねられ、発酵状態にまで煮詰まっていく時なのだろう。そして、それが炸裂し、具体的な成果として現われてくるのが、四十代なのだ。表現のことだけを考えてキラキラとしていた「芸術家」は、やがてその影響力や演劇の社会的位置を何とか確立していこうと腐心する「運動家」へと転身していくのである。

だからこそ、「こどもの館」のワークショップやアジア女性演劇会議のオルガナイザーをへて、もう一度演劇の世界へ戻ろうとしていた矢先の如月小春さんの死は、ほんとうに惜しまれる。彼女は暖かい小春日和の広場を設けて人と人を繋げる役割を演じながら、一方で演劇への回帰も模索していた。彼女は二〇〇一年の一二月に世田谷のシアタートラムで『カガヤク―長谷川時雨素描―』

を上演するはずだった。しかし、この作品はついに一行も書かれなかった。

新宿書房では、『如月小春戯曲集』（一九八二年）『工場物語』（一九八三年）『DOLL』（一九八五年、一九九二年に『DOLL／トロイメライ』に）、『MORAL（モラル）』（一九八七年）、『NIPPON CHA! CHA! CHA!』（一九八八年）の六冊の本を刊行してきた。

新宿書房が、西新宿の桜映画社の分室の一隅に仮住まいしていた頃、最初の本の打ち合わせで、事務所にきてもらったことがある。当時は旧姓の伊藤正子。如月さんはその頃二五歳。輝くように美しかったが、戯曲のシャープで硬質な文体からは、想像もできない、育ちのよさゆえの飾らない性格をもつ礼儀正しく謙虚な人だった。

新宿書房では、二〇〇一年一二月の一周忌にあわせて、新たに二冊の本を企画している。それは、『如月小春精選戯曲集』と『如月小春は広場だった』の二冊だ。

『如月小春精選戯曲集』は「ロミオとフリージアのある食卓」「家、世の果ての……」「MORAL」「MOON」「夜の学校」「A・R—芥川龍之介素描—」という、各時代を代表する六作品と各作品の解題（外岡尚美）、総解説（西堂行人）、如月小春戯曲年譜などで構成される。

『如月小春は広場だった』は、演劇を中心に様々なジャンルで活躍した如月小春さんを、それぞれの分野で関わりの深かった方々が回想する、「如月小春の仕事と出会い」の本だ。野田秀樹、川村毅、渡辺えり子などの第三世代の人々をはじめ、吉見俊哉、坂本龍一など、六〇人を超える人々の寄稿がある予定。如月さんの発言やコラムのアンソロジーやスナップ写真、自筆ノート、詳細な如月小春年譜なども収録される。

[2001.7.18]

2 百万本の蠟燭に灯をともそうとした人

如月小春さんが亡くなったのは二〇〇〇年一二月一九日。ちょうど一年が過ぎた。彼女の人と作品、仕事をまとめる二冊の本を先日出したばかりだ。一つは『如月小春は広場だった』、もう一つは『如月小春精選戯曲集』。どちらも奥付の発行日は彼女の命日。一四歳の成蹊中学時代の写真を含め、写真満載。

『如月小春は広場だった』は副題に「六〇人が語る如月小春」とある。すでに御覧になった方は実際に数えられたかもしれない。巻末に「不在のリアリティー」を書いた、小春さんのパートナーだった楫屋一之さん（NOISE、世田谷パブリックシアター・プロデューサー）を含めた正六〇人が、それぞれ関わりのあった分野から如月小春論を書き下ろしたものだ。オマケとして彼女の代表的なエッセイ一〇本を再録した。

赤崎正一さんの見事な造本とあいまって、演劇を軸にマルチな才能を発揮した如月小春さんの全体像が鮮明に浮かび上がる本となった。彼女はさまざまなジャンルでコラボレーションを実践し、そして志半ばで斃（たお）れた。まさに「強風波浪警報のさなかに百万本の蠟燭に灯をともそう」（「家、世の果ての……」作者ノートより）と獅子奮迅の努力をしている時に、彼女は逝ってしまった。

それにしても、本書『如月小春は広場だった』巻末の詳細な「如月小春年譜」(作成/森直子・楫屋一之)を見てほしい。彼女はどこからも逃げもせず、すべてを受け入れて、しかも手を抜かず、真面目に取り組んだ。人と人を繋げ、集わせる、小春日和のような広場を設けようといつも必死だった。それらが結局彼女の身体を次第に痛めつけてきたことが、よくわかる。彼女を失ったことは非常に大きいが、遺していったものもまた大きい。

『如月小春精選戯曲集』は如月小春さんが、二五年の間に書いた五〇本あまりの戯曲から時代ごとに六本の代表作を精選したベスト作品集。収録した作品は、『ロミオとフリージアのある食卓』(一九七九年)、『家、世の果ての……』(一九八〇年)、『MORAL』(一九八四年)、『MOON』(一九八九年)、『夜の学校』(一九九二年)、『A・R — 芥川龍之介—』(一九九三年)の六作品。口絵には上演写真、各扉には上演ポスター、巻末には公演記録、ワークショップ記録、如月小春全戯曲・演出リストが付されている。また、外岡尚美によるていねいな作品解題、西堂行人による解説もある。

低い姿勢で　腰をおとして
小さく　小さく　更に小さく
膝をつけ　耳をふさげ
首をあげて　しっかりあげて

前を見ろ
口をあけて　大きくあけて
笑え　笑え　もっと笑え

（『如月小春精選戯曲集』エピグラフ。『夜の学校』より）
[2001.12.19]

小林トミさん

1

『わが町・浦安』の著者、小林トミさんが二〇〇三年一月二日の朝、亡くなった。昨年電話でお話した記憶がある。新聞をみて、びっくりした。しかし、ずいぶんお会いしないままのお別れになってしまった。

『わが町・浦安』は一九八三年一一月に刊行されている。A5判変型で装丁は田村義也さん。田村さんの著書『のの字ものがたり』(朝日新聞社、一九九六年)にこんなくだりがある。少々長いが引用する。

小林トミ『わが町・浦安』。編集者は百人社から新宿書房になった村山恒夫氏。
著者はあの六〇年安保の「声なき声の会」の代表者であって、その頃からの知人である。
私たちは毎日のように国会議事堂のまわりでデモをしていたが、やがて日高六郎編『1960

年5月19日』（岩波新書）を企画した。（中略）

さて、この本は小林トミさんが少女時代を過ごした昭和十年代前後の千葉県浦安の風景を綴ったふるさとの物語である。貝を採り、ノリを養殖する漁師町のたたずまいが描かれる。だから、高校の絵の先生であるトミさん自身が描いたカットを、枠に入れてカバーに散らすことにした。

表紙の方は、むかしの五万分の一の地図。東京と千葉を分ける江戸川河口の泥が不定形な沖積地の曲線をつくっているのが面白い。（中略）

見本が出来上がって、久しぶりに小林トミさんと村山君の三人で、水道橋近くの鳥安で、ささやかな乾杯をしたことである。

田村さんはこの頃、まだ岩波書店の編集部に在籍されていたし、トミさんは都立九段高校の定時制で美術の先生をしていた。カバーの絵もいいが、本表紙の青に白抜きの地図でほんとうに傑作な装丁になった。

『わが町・浦安』には小冊子の『日没国通信』第四号が挟まれていた。久野収さんは「ライフスタイルの民主主義――小林トミさんのこと」というエッセイを寄せてくれた。

「自分の直接経験を大切にし、とりわけ、人々との直接のふれあいを大切にするトミさんの市民的ライフスタイル」だからこそ、「声なき声の会」の運動を二〇年も続けることができたという。

北柏での葬儀には、鶴見俊輔さんや吉川勇一さん、阿奈井文彦さんや木村聖哉さんなどの顔があった。

「声なき声の会」の運動は一九六〇年六月四日、映画助監督の不破三雄さんと小林トミさんの二人が「誰デモ入れる声なき声の会」と書いた横断幕を掲げて、虎ノ門から国会にむけて歩き出すことから始まった。

実はずいぶん前、まるまる一冊の本になる原稿の束をわたされ、読んだ後、さんざん悩んだうえ、トミさんに返したことがあった。結局、それはどこからも出版されなかった。私は、お通夜の遺影に向かって、「トミさん、ゴメン」とあやまった。

[2003. 1.12]

2　声なき声の会

小冊子『想像』（一六九号、想像発行所、二〇二〇年七月一日）が送られて来た。この中に羽生康二さんの文章、〈「声なき声の会」と小林トミさん〉が収録されている。ここから『「声なき声」をきけ——反戦市民運動の原点』（小林トミ著、岩垂弘編、同時代社、二〇〇三年）という本があることを知った。

一九六〇年（昭和三五）一月、日米政府は新安保条約に調印。五月二〇日には、衆議院で強行採決された。新安保条約に多くの労働者・学生たちが反対運動を繰り広げ、それに新聞などのマスコミ、文化人もこれに同調して新安保に反対していた。この動きに対して、岸信介首相は五月二八日の記者会見でこう強弁したそうだ。「いまあるのは『声ある声』だけだ。私はほんとうの国民の声、『声なき声』にも耳を傾けなければいけないと思う」

この岸の発言を逆手にとって、「声なき声」の国民も安保反対の声をあげているということを訴えようと生まれたのが「声なき声の会」だ。政党にも労働組合にも全学連にも関係のない、一般市民の安保反対の意思を示すデモを計画したのだ。しかし、一九六〇年六月四日のデモの日、約束の集合時間の正午までにやって来たのは、小林トミと不破三雄の二人だけだった。ふたりは思想の科学研究会の傘下サークル「主観の会」のメンバーだった。

トミさんと不破さんは、安保改定阻止国民会議の統一デモの最後につき、「総選挙をやれ!! U2機かえれ!! 誰デモ入れる声なき声の会 皆さんおはいりください」と書いた横断幕をひろげて、虎ノ門から国会議事堂に向けて歩いた。この時、道の両側からふたりのデモを見ていた青年、学生、主婦、商店主などの一般市民が次々とその後ろについて歩き、隊列は三〇〇人以上に膨れあがった。「声なき声の会」が誕生したのだ。「声なき声の会」のデモはその後、六月一一日、一五日、一八日、二二日そして七月二日にも行われた。集会も二回開いた。六月一五日、トミさんはひとりの女子学生の死をデモ解散後の東京駅で知った。そして六月一九日、新安保は自然成立した。

その後、七月一五日には機関誌『声なき声のたより』を創刊した。表紙絵は画家で中学・高校の美術の非常勤講師だったトミさんがずっと担当した。創刊号の部数は三五〇〇にもなったという。
トミさんは当時三〇歳だった。「声なき声の会」の代表世話人となり会の継続に力を注ぐ。「声なき声の会」は一九六一年から毎年6・15集会を開き、樺美智子さんが亡くなった国会南通用門に花束をささげてきた。この「声なき声の会」は一九六五年四月の「ベトナムに平和を！市民連合」（べ平連）発足の母胎にもなった。べ平連の三八人の呼びかけ人にトミさんも加わった。このべ平連が一九七四年一月に解散しても「声なき声の会」はそのまま残り、機関誌『声なき声のたより』を出し続け、毎年6・15集会を開き、献花を行ってきた。

小林トミさんは二〇〇三年一月に亡くなる。七二歳だった。それから一七年がたったいまも、「声なき声の会」の活動は続いている。しかし二〇二〇年六月一五日の集会は新型コロナの影響で、六〇年目にして初めて中止となったが、樺美智子さんへの献花だけは行ったという。

一九六〇年六月四日にトミさんと一緒に「声なき声の会」の初めてのデモをした映画助監督の不破三雄さんとはどんな人なのだろうか、少し調べてみた。『日本映画監督全集』（『キネマ旬報増刊12・24号』一九七六年）には、「不破三雄」の項目がある。一九三〇年、神戸生まれ。一九五四年に京都大学文学部哲学科を卒業、松竹大船撮影所助監督部に入社とある。山田洋次監督デビュー作『二階の他人』（61）で助監督、また山田作品『下町の太陽』（63）でチーフ助監督、脚本にも参加、さらに同じく山田作品の『馬鹿まるだし』（64）でチーフ助監督。そして『ケチまるだし』（64）で監督デビュー。その後、病気のため休養し、一九六六年に松竹を退社、関西に戻っている。家族の方によれば、八年ほど前に亡くなっているとのことだ。
鶴見俊輔さんの『悼詞』（編集グループSURE）が七月一日に増刷された。通算七刷目で初版は二〇〇八年。これは、一二五人の知人・友人に贈った、鶴見俊輔全追悼文集である。
この中に、「小林トミ――「声なき声の会」世話人」と題した追悼文がある。

一度、トミさんがその本領を発揮したことがありました。声なき声の中から、死を決して権力と対決しようという声があがって、声なき声の大部分がその声についていったときです。トミさんは、自分はひとりになっても、普通にできることを守るといって、さっさと家にかえってしまいました。そしてその時をこえて、もとの運動の形をつづけました。戦争はいやだという、普通の人が誰でも感じていること、それを誰にでもできる形であらわしつづける。それがトミさんの呼びかけです。

参考資料
『「声なき声」をきけ――反戦市民運動の原点』はトミさんが書きためた原稿（四〇〇字詰めで一二四〇枚）を編者がまとめたもの。トミさんが亡くなった年の六月に刊行された。編者の岩垂弘は「あとがき」で次のように書く。

「小林さんの活動は三つの点で傑出していたと私は考える。まず、その活動が他から命令されたり指示されたものでなくあくまでも自発性に基づいたものであった点。第二は口舌の徒でなく、必ず行動を伴ったものであった点、第三は長く継続する活動であった点だ。それに、小林さんは、人間としての日常生活を大事にした。別な言い方をするならば、日常生活の一部として反戦平和運動を続けてきた。このことも、特筆に値する」

[2020. 7.10]

見残しのひと

昨日（二〇二〇年七月一三日）、朝日の記者の方から電話をいただいた。「久木綾子さんが亡くなれたそうですが、なにかご存知ですか」久木綾子さん……。ずいぶん、長いことお会いしていなかったので、私の方が驚いた。気になりながらも最近は音信不通の状態になっていた。その晩おそく、ニュースサイト（朝日新聞DIGITAL）には、次のような記事が現れた。

> 作家の久木綾子さん、百歳で死去　八九歳でデビュー
> 作家の久木綾子さん（本名池田綾子）が一三日、老衰で死去した。一〇〇歳だった。葬儀は家族葬で営まれる。喪主は長男正之さん。
> 二〇〇八年「見残しの塔」で作家デビュー。「八九歳の作家」として話題になった。他の著作に「禊の塔」。

さらに時事通信配信のウェブ記事からは、「一三日午前八時五四分、横浜市の福祉施設」で亡く

なったこともわかった。

久木綾子（一九一九〜二〇二〇）さんは、新宿書房から歴史長編小説『見残しの塔――周防国五重塔縁起』を出版して小説家としてデビューした。

『見残しの塔』のサイズは、天地一八六ミリ×左右一四八ミリのA５判変型、上製（ハードカバー）本で、三六四頁。装丁・装画は桂川潤さん。巻頭の絵地図は松下千恵さんにお願いした。

松下さんは「わかやま絵本の会」を主宰されていて、熊野の山の作家・宇江敏勝さんの古くからの知り合いだった。私も何回か、宇江さんや松下さんに連れられて熊野古道を歩いたことがある。その松下さんは『見残しの塔』刊行の三年後の二〇一一年八月一八日に、六一歳で急逝された。

また、歴史地名のチェックについては、知り合いの『日本歴史地名大系』編集室の方に協力してもらった。久木さんの本作にかけた「取材一四年、執筆四年」の労苦に応えようと、私たちは丁寧な本造りにあたった。


『見残しの塔』は二〇〇八年九月に刊行され、翌年二月までの半年間、それなりの書評が出て、売れ行きも六割近くに届くかどうかと、「新宿書房としてはマズマズの成績」だった。まさに「既刊好評発売中」の本になっていた。

そんな時、『絵地図師・美江さんの東京下町散歩』（二〇〇七年）の著者の高橋美江さんに会う日があった。そして、佐野剛平（一九四一〜）さんを紹介してもらう。佐野さんはＮＨＫのアナウンサーをへて、当時はNHK文化センターに所属し、横浜や青山で数々の文化講座をプロデュースしていた。いまや人気講座になっていた美江さんの「町歩き講座」も佐野さんの手で誕生していた。佐野さんは同時に『ラジオ深夜便』の番組制作にもかかわり、「こころの時代」のコーナーではインタビュアーを担当していた。さっそく、佐野さんに会って、『見残しの塔』を読んでもらい、「こころの時代」のゲストに久木綾子さんはどうでしょうかと、いそいで検討してもらうことになった。同時に久木さんにも会ってもらった。

まもなく佐野さんからオーケーの知らせが来た。収録当日、私は久木綾子さんとともに、渋谷のNHK放送センターに行く。スタジオのガラス越しに二人の番組収録に立ち会った。こうして『ラジオ深夜便』「こころの時代――瑠璃光寺五重塔に魅せられて」(聞き手=佐野剛平)が、二〇〇九年三月一日(日)と二日(月)の二日間、いずれも早朝四時~五時の時間帯に放送されたのだ。

二回目の放送が終わった直後の月曜日の二日。事務所の電話は、午前中から鳴り続けた。書店だけでなく個人からの電話注文が殺到した。二百万人のリスナーがいるという『ラジオ深夜便』。多くのリスナーたちは、早朝に流れる久木綾子さんの美しい声とその素晴らしいお話に文字通り魅せられたのだ。そして『見残しの塔』は大ブレークする。この「こころの時代」は四月二七日、二八日に早くも再放送もされる。

この大ブレークがどのように展開されたのか、新宿書房のHP内に残っている「過去のトピックス」から、久木さんの関連記事だけひろってつないでみると、おおよそのことがわかる。

二〇〇九年

①『見残しの塔』の著者、久木綾子さんが、三月一日（午前四時）、二日（午前四時）の二回にわたってNHKの『ラジオ深夜便』「こころの時代」に出演されます。

②先日、HPでお知らせしたように、三月一日、二日の朝四時からのNHK『ラジオ深夜便』「こころの時代」に久木綾子さんが出演されました。その二日の午前中から、小社には書店、個人の方から電話が殺到。大げさでなく、トイレも食事にもいけない状態に。翌日、在庫が一掃。重版を決定。しかし、電話はその後も鳴りやまず、この状態は次の週の九日になっても続き、ようやく静かになったのは一三日頃でした。NHKのコールセンターへの問い合わせも、かつてない数にのぼったようです。みなさん、久木さんのお話に魅せられたようです。〈いくつになっても、いつはじめてもいいのだ〉という言葉が、あるブログに書かれていました。

③『見残しの塔』の著者の久木綾子さんが三月一日、二日にNHK『ラジオ深夜便』「こころの時代」に出演して、リスナーから大反響があったこと、すでにお伝えしました。四月二七日、二八日の朝四時からのアンコール放送が決定しました。また、五月一八日発売の月刊誌『ラジオ深夜便』六月号に放送分が収録されます。

④久木綾子さんの『見残しの塔』の四刷ができました。NHK『ラジオ深夜便』「こころ

の時代』、『ラジオ深夜便』六月号の反響が続いています。五月二四日には『朝日新聞』の書評欄に広告を出しました。

⑤『見残しの塔』の六刷ができました。六刷版から、三刷版より投げ込み付録だった「特別付録◆登場人物関係系図◆主な登場人物」が本文巻末に収録されました。初版・二刷の読者の方で、この特別付録をご希望の方にはお送りします。お申し出ください。なお、六月一四日の『朝日新聞』書評欄に広告を出しました。

⑥『見残しの塔』が重版！　七刷が出来ました。

久木綾子さんの『見残しの塔』の話題が続いています。二〇〇九年八月一日の『朝日新聞』夕刊（一部地域では八月二日）の「こころ」欄の「語る人」に登場（聞き手は久保智祥記者）。タイトルは「規矩ある生と出会う」。掲載後、全国から注文が殺到。すぐに品切れに。読者の皆様にはご迷惑をおかけしました。現在在庫はございます。久木綾子さんは現在、次回作、羽黒山の五重塔の物語『禊（みそぎ）の塔』の執筆、取材に駆け回っています。久木綾子さんはさる八月七日、満九〇歳の誕生日を迎えられました。八月下旬には山形・羽黒山にまたお出かけになられます！　まさにスーパー作家です。

⑦『朝日新聞』九月一三日読書欄に広告を出しました。

⑧『見残しの塔』の著者、久木綾子さんが次回作の取材で羽黒山の五重塔のある鶴岡市を訪れました。

次回作は『禊の塔』。二〇一〇年の初夏には出版の予定だそうです。久木さん、がんばって下さい。

二〇一〇年

⑨『見残しの塔』の著者、久木綾子さんが三月六日（土）の山口市で行われる、NHK「ラジオ深夜便FMウォークin山口」に登場します。詳細は雑誌『ラジオ深夜便』二月号（一二六〜一二七頁）をご覧ください。

⑩以前、お知らせした三月六日の〈アンカーと歩く　ラジオ深夜便FMウオークin山口〉は大盛況。『見残しの塔』の著者・久木綾子さんのトークに参加者も大満足。その報告です。（『ラジオ深夜便』五月号）

⑪久木綾子さんの来月出版予定の『禊の塔』が『荘内日報』六月一〇日に取り上げられました。

⑫『東京新聞』・『北陸中日新聞』「こちら特報部」欄に久木綾子さんが登場。

⑬『朝日新聞』「ひと」欄（六月一六日）に久木綾子さんが登場。新作『禊の塔』について語ります。

⑭新刊『禊の塔』の著者、久木綾子さんが『ラジオ深夜便』に出演します。七月九日午前

一時台〈列島インタビュー　久木綾子「五重塔、再び」　聞き手・柴田祐規子アンカー〉

⑮　山形県鶴岡市にある〈いでは文化記念館〉では、国宝羽黒山五重塔特別企画展〈『禊の塔』が語る願い…～日本の国宝五重塔を訪ねて～〉を開催しています（七月三日～一一月二八日）。『禊の塔』の執筆にあたり、作者の久木綾子さんに屋根葺きの技法を教授された芳賀正長さんによる柿葺（こけらぶき）に関する資料、実演写真が展示されています。

⑯　久木綾子著『禊の塔――羽黒山五重塔仄聞（そくぶん）』が、日本図書館協会の選定図書（平成二二年七月二一日選定）に選ばれました。

⑰『禊の塔』の著者の久木綾子さんが、一〇月一六日の羽黒山五重塔下でのトークショーの打ち合わせのために鶴岡市役所を訪問（『荘内日報』九月三日より）。

⑱　一〇月一六日、『禊の塔』の発刊を記念して、出羽三山神社などの共催で羽黒山五重塔の下で、久木綾子さんのトークショーが行われます。司会は明石勇・ラジオ深夜便アンカーです（『荘内日報』九月八日より）。

⑲　七月九日に放送された『ラジオ深夜便』久木綾子さんインタビュー〈五重塔、再び〉が雑誌『ラジオ深夜便』一〇月号に再録されました。巻頭カラーも羽黒山五重塔特集で圧巻です。

⑳　一〇月一六日、鶴岡市の羽黒山五重塔前でのトークショーは大成功でした。

二〇〇九年三月から二〇一〇年一〇月まで、この「久木綾子劇場」では追加公演、さらに追加公演とロングラン興行が続いた。まさに『ラジオ深夜便』、恐るべしだ。そして、この公演中のさなかの二〇一〇年七月一五日には久木さんの手になる塔の物語の第二作、『禊の塔――羽黒山五重塔仄聞』を新宿書房は刊行する。装丁・装画・絵地図は桂川潤さん。

久木綾子さんとお会いしてからあっという間の五年が過ぎた。そしてこの時間の中で生まれた二冊の本のおかげで、久木さんやお仲間たちと一緒にほんとうに楽しい旅ができた。山口の瑠璃光寺五重塔、山形県鶴岡の羽黒山五重塔、そして宮崎県の椎葉村……。三冊目の新作の原稿整理も始まりつつあった。宇江敏勝さんとの往復短編連作集の企画もスタートし、宇江さんからはすでに二編が入っていた。

毎日のように電話をいただき、赤坂のご自宅には頻繁にうかがった。まるで作家番の編集者のような体験をさせてもらった。そして、いつからかだんだん電話も少なくなり、縁遠くなっていった。そんなある日、久木さんから電話をもらった。「またゆっくり会いたいですね」というと、久木さんは「村山さん、私たちはいつでも会えるし、いつでも会っていますよ」

その言葉がいまでも耳に残っている。

『見残しの塔』は二〇一二年一月、文春文庫版が発売された。文庫本には新宿書房の親本にあった、優れた短編小説のような「あとがきにかえて」がなくなり、かわりに「解説　櫻井よしこ」と久木さんによる「文庫あとがき」が入っていた。

こうして私の愛した『見残しの塔』は、ほんとうに遠い遠い彼方へと去っていった。

[2020. 7. 17]

通り過ぎていった小沢信男さん

三月八日（二〇二一年）の朝刊各紙に小沢信男さんの訃報が載った。三月三日に亡くなられ、葬儀・告別式は家族で行ったとある。享年九三。

小沢さんとは編集装丁家・田村義也さんと、組版職人・編集者の前田年昭さんのおふたりを介して、お付き合いをさせていただいた。

田村義也さんが亡くなったのが、二〇〇三年二月二三日。この田村さんを偲んで、編集・出版・印刷・製本などの関係者がその年の一二月に一冊の追悼集を出した。『田村義也　編集現場１１５人の回想』（編集・発行＝田村義也追悼集刊行会、非売品）である。

その一一五人の中に小沢信男（一九二七〜二〇二一）さんがおられる。小沢さんは「下町スナップ――田村さんと」を書いている。『酒文化研究』という雑誌（発行＝酒文化研究所、発売＝新宿書房）があった。同誌の編集長の田村義也さんから「東京下町の泡盛事情をしらべろとご下命いただき、深川・浅草あたりの泡盛酒場や問屋をたずね歩きました」という。なんでも戦前の最盛期には沖縄の泡盛生産高の五割余を本土に出荷し、東京では本所深川が本場だったという。同誌第三号（一九九三年一〇月）に掲載されている報告エッセイ「下町に泡盛を訪ねて——深川浅草泡盛酒場探訪記」がそれだ。原稿提出の後、小沢さんは田村編集長を連れて、取材した酒場を二、三案内したという。

この回想集のエッセイで小沢さんは、田村さんとの最初の出会い（仕事）は、自分の本『書生と車夫の東京』（作品社、一九八六年、編集者＝増子信一）の装丁をお願いした時であると記し、好きな田村義也装丁本の三冊あげろとの質問で、その一冊にこれまた自分の『東京百景』（河出書房新社、一九八九年、編集者＝福島紀幸）をあげている。

田村義也さんは二冊の本を残されている。『のの字ものがたり』（朝日新聞社、一九九六年）と、亡くなられたあとに編集された『ゆの字ものがたり』（新宿書房、二〇〇七年）だ。その『のの字ものがたり』の中で、装丁をされた小沢さんの二冊の本、『書生と車夫の東京』と『東京百景』の造本裏話を書いている。小沢さんと田村さん。年齢も近いし、生まれも下町と山手との違いはあるものの東京育ち、おふたりは気があったのだろう。

もうひとりの縁者は、組版職人・編集者の前田年昭さんだ。ある時、前田さんからこんな原稿がある、なんとか出版できないものかとの相談を受けた。でき上がった本が、『釜ヶ崎語彙集 1972—1973』（寺島珠雄編著、新宿書房、二〇一三年）だ。一九七二〜一九七三年当時、日雇労働者二万人の活気であふれていた大阪・西成区の釜ヶ崎。熟練した土工、鉄筋工でもあった詩人・寺島珠雄（たまお）（一九二五〜九九）らの透徹した人間観察が生みおとしたのが本書で、まさに非正規労働者版『釜ヶ崎事典』である。

しかし、寺島さんらによって完成した原稿は、その後ずっと出版の機会もなく四〇年間眠っていた。「内容はいい、しかし売れないよ」この四〇年、何人の編集者がそう呟いてきただろうか。編集の前田さん、組版・デザインの赤崎正一さん（おふたりとも神戸芸術工科大学の教員でもあった）から、熱心な相談を受け、「寺島珠雄編著『釜ヶ崎語彙集』刊行会」を立ち上げる。およそ八〇名あまりの方々のご支援でこの本は刊行できた（三〇二〜三〇三頁）。実のところカンパをしてくれたほとんどが、私の家族や友人だった。口の悪いヤカラは「まるで村山、おまえの生前葬出版だよな」と言った。閑話休題……。

本書は仕事・食住衣など二四三項目、八〇〇余の索引項目、釜ヶ崎今昔絵地図、年表、写真によって、あの時代の釜ヶ崎を生き生きとよみがえらせたのである。

この『釜ヶ崎語彙集 1972—1973』に、なんと小沢信男さんは深く関わっていたのである。この元原稿の一部が、一九七三年二月号と五月号の『新日本文学』に掲載された。その時の編集長が小沢信男さんだったのだ。小沢さんには前田さんの紹介でお会いし、『釜ヶ崎語彙集 1972—1973』への原稿を依頼した。それは「ふしぎの書・ふしぎの人」という長い跋文（というかむしろ解題）として掲載（二六八〜二八一頁）された。

小沢さんは一九五三年に新日本文学会に入会している。この一年前の一九五二年に新日文の事務局に入ったのが、小林祥一郎（一九二八〜）さんだ。小林さんには『死ぬまで編集者気分――新日本文学会・平凡社・マイクロソフト』（新宿書房、二〇一二年）という著書があり、当然小沢さんも登場している。小林さんは平凡社勤務のかたわら（！）、一九六六年から六七年にかけて、『新日本文学』の編集長を務めている。

すると、小林さんから電話があった。「小沢さんの葬儀にはご家族の願いもあって行けなかった」と。今年の五月で九三歳になる小林さんは、すこぶるお元気で安心した。

＊

わが友好出版社の「編集グループＳＵＲＥ」は、作家の黒川創さんら家族、妹などでやっている出版社だ。ここから出た本に『小沢信男さん、あなたはどうやって食ってきましたか』（小沢信男・津野海太郎・黒川創共著、二〇一二年）がある。津野海太郎さんは一九六二年に新日文の事務局に入り、そこの編集者となっている。新日文では、小林祥一郎さん、小沢信男さんの後輩にあたる。小沢さんはタイトル通り、新日文だけでは食えないため、いろいろアルバイトでつないできたようだ。そのひとつが、上野のれん会の月刊タウン誌『うえの』の編集仕事だ。一九五九年の創刊から関わった。アルバイトで始まり、嘱託、顧問と亡くなる直前までずっと仕事をしてきた。

黒川創さんに、「小沢信男さんが亡くなったね」とメールをする。彼からはつい最近、新刊小説『ウィーン近郊』（新潮社）をいただいたばかりだ。

すぐに返事がきた。

「土曜夜、入谷の葬儀屋で、津野さんと一緒に、小沢さんにお別れをしてきました。今日発売の『本の雑誌』が「津野海太郎特集」で、われわれゆかりの者たちが寄稿しているのですが、小沢さんも原稿を送ってから逝かれたようです。だから、これが遺稿でしょう」

さっそく、近くの本屋で『本の雑誌』(四月号)を買う。特集は「津野海太郎の眼力」。津野さんを知る、平野甲賀さんら一三人がこれに寄稿している。そのひとり、小沢信男さんは「津野海太郎と新日本文学会」と題するエッセイを書いていた。

[2021.3.13]

一冊の本を遺していった……

『聖人伝――プロティノスの彼方へ』（立木鷹志、港の人、二〇二一年四月二〇日）。鎌倉にある出版社「港の人」の上野勇治さんから送られてきた。『聖人伝』は四六判上製角背・グラシン巻き・貼函入り・本文五七六頁、定価五〇〇〇円という大著である。書容設計は白井敬成事務所、印刷製本はシナノ印刷だ。

実はこの『聖人伝』の刊行までには、私（新宿書房）も少し関わった経緯がある。著者の立木鷹志（たちき たかし）（本名・川口憲市）は私の大学時代の友人だ。彼は途中で大学を去り、久しぶりに会ったのは、私が新宿書房を引き継いだ一九八一年頃だろうか。当時、何百人ものフリーの校正者が所属する集団があった。川口はその校正グループのひとりだった。多くのメンバーは大学闘争を経験し、ドロップアウトした人たちだった。九段南で再出発した新宿書房の事務所に室野井洋子さんが新人編集者としてやってきた。彼女もその校正者集団にいたこともあり、川口ともすでに面識があった。そんなこともあって、ある日、川口が大部の小説の原稿を抱えて事務所にやってきた。

それが一九八二年一一月に出版した『虚靈…Spiritual existence』という本だ。菊判上製角背・グラシン巻き・貼函入り・本文六五六頁という大著だ。造本は中垣信夫、写真は川田喜久治、編集は室野井洋子、印刷は理想社印刷所（現理想社）、製本は松岳社青木製本所（現松岳社）のスッタフ陣だ。しかも本文の天・地・小口とも青いインクが吹き付けられている（いわゆる小口染め、小口装飾）。

書名から想像できるように、『虚靈』は、埴谷雄高（はにやゆたか）（一九〇九〜九七）の『死霊』をオマージュした作品で、刊行後、ふたりでこの本を持って吉祥寺駅の南にあった埴谷さんの小さな家を訪ねた。すでに独り住まいだったのか、埴谷さんは自ら紅茶をふるまってくれ、立木の初めての本の出版をほんとうに喜んでくれた。それ以来、立木は埴谷さんとは、長い付き合いがあったようだ。

その後、川口は校正者として仕事を重ね、また同時に作家・翻訳家「立木鷹志」として、さまざまな小説本、翻訳本を手がけてきた。

昨年の秋だったろうか、川口から久しぶりに電話があった。実は読んでもらいたい原稿があり、できるなら君のところで出してほしいと。一〇月二一日に分厚い封筒が届いた。四〇〇字詰め一〇〇〇枚もあるという。その中に彼の手紙が入っていた。

前略　五、六年かけて書き上げた『聖人伝』の原稿をお送りします。途中、体の変調を感じたのですが、書き上げる迄はと病院にも行かなかったことで悪化したようです。一一月から国立〇〇病院に入院の予定です。

時節柄、直接会うのも難しいので、とりあえず原稿を先にお送りしておきます。新宿書房での出版が難しければ、内容からして齟齬のないような出版社を紹介していただければと思います。よろしくお願いします。

川口憲市

その後、何回か電話でのやり取りがあった。一〇年、二〇年もこの本を大切に売ってくれる版元……。いろいろ考えて、付き合いの長い「港の人」の上野勇治さんを推薦した。川口も「港の人」の出版物を調べて、納得してくれた。早速、上野さんに連絡して、プリント、テキストを転送する。上野さんも出版を了承してくれ、著者にも直接何回か会ってくれた。あとはふたりにまかせよう。出版は二〇二一年の春を目指そうということになったようだ。一つには川口の病状のこともあった。ことがうまく進んだ一二月のある日、川口はお礼を言いたいと九段下まで来てくれた。近くのホテルの喫茶室で会った彼は元気そうで、赤ワインを注文した。

それにしても上野さんは、この難しい本を、しかもこの短期間によく仕上げてくれたものだ。著者本人が大校正者でもあるとはいえ、大変な編集作業だったろう。二〇二一年三月の半ばには上野さんから、四月七日（水）に病院へ見本を届けられるところまできた、との連絡があった。そしてその七日、新宿書房の事務所に「港の人」から見本が一冊届いた。上野さんからは、当日七日に病院へ見本を届け、著者ご本人にその仕上がりを大変喜んでいただきましたとの報告もあった。

しかし、立木鷹志（川口憲市）は四月一二日（日）の夜に亡くなった。享年七四だった。彼が最後まで所属した聚珍社（しゅうちんしゃ）が会員宛に出した「訃報」によれば、「二〇二〇年四月に検査で大腸がんであることが判明し一二月に手術、その後ご自宅近くの病院に移られ、一時入院、通院というかたちで闘病を続けられていました」とあった。亡くなった翌日、奥様から「最初の本、最後の本、どちらともお世話になりました」とお電話をいただいた。

五月に入り「港の人」から、また『聖人伝』が送られてきた。著者からの恵贈ということだった。どこまでも用意のいい川口だ。

四月七日に見本届け、見本了承。製本作業開始。一二日著者死亡。製本・貼函の制作は時間がかかり、完成は五月一七日だったという。配本は出版取次の一つ、ＪＲＣの一手扱いで全国の書店、オンライン書店で発売されている。

五月二七日の『毎日新聞』の一面下のサンヤツ広告に『聖人伝』がでた。どうか、書評・紹介がいろいろ出るようにと祈る。

最近、立木鷹志のブログを発見した。

「立木鷹志の随想記」の最後の更新はなんと二〇二一年一月七日ではないか。最後まで頑張っていたんだな。彼の仕事仲間で聚珍社の訃報を書いた方から電話をいただき、このブログのことをお話ししたら、立木鷹志はエッセイ集の原稿も用意していたんです、とおっしゃった。

川口憲市、立木鷹志さん、お疲れさまでした。見事な幕引きです。

空と声の記憶

[2021. 6.12]

映画・村山四兄弟

二つの事件と二〇六本目の映画

1

彼は一九一二年（明治四五）六月八日、長野県埴科郡屋代町（後に更埴市、現千曲市）に生まれた。屋代は千曲川が大きく蛇行して善光寺平にそそぐ入り口にあり、その千曲川は川中島で犀川と合流してさらに太い流れとなって北に進む。屋代の東には松代町があり、幕末の思想家、佐久間象山が自作の大砲を試射した岩山へと続く。

屋代中学をへて、一九三一年（昭和六）に長野師範学校を卒業。長野市の浅川小学校に教員（訓導）として勤務。一九三三年（昭和八）二月四日の朝、治安維持法違反で検挙される。当時二一歳。わずか、一年半の教員生活だった。

一九二九年から三三年にかけておこった共産主義運動に関係した小学校・中学校教員への弾圧事件は、俗に「教員赤化事件」といわれている。平凡社の『大百科事典』（第四巻、一九八四年）の項目の「教員赤化事件」によれば、一九三〇年（昭和五）の八月頃から、非公然に全国組織の教育労働者組合の準備会が結成され、一一月には国定教科書反対、プロレタリア教育の建設、教員の生活擁護などをかかげて、これまた非公然に創立大会が開かれた。

教員のこれらの研究・宣伝・啓蒙活動（新教・教労運動）に対する弾圧はすぐさま始まり、「三三年までに四一道府県、九八件、検挙された教員は七百数十名に及んだ。とくに三三年二月四日以降、長野県では、六六校（うち中学四）、二三〇名（うち非教員二二）の検挙、治安維持法違反による起訴二九名という大弾圧がおこなわれた」。事件は「長野県教員赤化事件」として、日本全国にセンセーショナルに報道・喧伝された。長野県では、一般に「二・四事件」と呼ばれている。（注1）

彼は懲役二年執行猶予三年の有罪判決を受け釈放されたが、学校から引き離されたため、上京。小さな製薬会社に勤めている時、作家の高倉輝（注2）に会い、向島のスラム街にあった城東託児所の手伝いを頼まれる。高倉は、かつて土田杏村らの協力で信濃自由大学（後の上田自由大学）に講師として参加、上田市に在住して、長野の教育界に深く関わっていた。高倉もまた二・四事件で検挙されている。託児所での活動の間に芸術映画社の大村英之助に出会い、勧められて一九三七年（昭和一二）に同社の企画部に入社、以後生涯の仕事となった教育・文化映画の世界に入った。

企画部には、当時駆け出しの新劇俳優だった宇野重吉がよく出入りし、近くの居酒屋で一緒に飲んだ。また作家の中野重治もシナリオの打合せのため企画部にきていて、シナリオにはならなかったが、『空想家とシナリオ』（一九三九年）という作品を残している。

彼というのは、村山英治、私(村山恒夫)の父である。一九五五年、桜映画社創設、一九七〇年、新宿書房創設。二〇〇一年四月二八日に急性肺炎で死亡、享年八八だった。去る六月八日、八九歳の誕生日に当たる日に、東京新宿で「お別れの会」が行われ、代表作である二本の映画『女王蜂の神秘』(62)『色鍋島』(73)が上映された。前者はオーストリアの動物学者フリッシュが発見したミツバチの「ダンス言語」を映像化したもの。

挨拶に立ったひとり、岡部昭彦(注3)は、「いまみても新鮮であり、後年の一九七三年にフリッシュ、ティンバーゲン、ローレンツの三人がノーベル生理学・医学賞をもらい、世に〈動物のコミュニケーション〉を広く知らしめた、動物行動学についての映像的記録の先駆的名作だ」とのべた。彼の作品分野は、社会教育、民俗、美術、古典芸能、児童劇映画、科学映画と多岐にわたり、その生涯で企画、製作、脚本、監督にたずさわった作品は二〇五本あまりと思われる。(注4)

[2001. 6. 10]

2

村山英治には歴史小説『大草原の夢』(新宿書房、一九八六年)という著作がある。副題が「近代信濃の物語」となっているように、幕末から、太平洋戦争敗戦までの近代信濃の民衆の記録と自らの個人史を重ねあわせた長編である。著者は「あとがき」のなかで、二・四事件と満蒙開拓団の悲劇がこの小説のテーマだとして、次のように書いている。

二つの話と目的は、別々のものだったが、二・四事件から信州教育を明治初年まで遡り、また事件の結末と、満蒙開拓団について調べてみると、二つは必ずしも無関係でないことが分かった。とくに二・四事件の結末と満蒙開拓団の悲劇は重なってくる。小学校教員の左翼運動がはげしい弾圧に遭って壊滅し（二・四事件）、間もなく昭和十年代に入ると、軍部は政府と結んで「興亜教育」を全国的に始めた。興亜教育というのは〝八紘一宇の精神にもとづき日本を中心に日満中を堅く結び大東亜共栄圏、東亜新秩序を建設するための教育をしよう〟という官製の教育運動で、長野県はとくにさかんだった。（注5）

昭和十六年に、松本市で興亜教育大会が開かれると、全県下から三千人の教師が参加し、第二会場を設けるほどの盛況だったという。学校では、教師は教え子を熱心に「満蒙開拓青少年義勇軍」に送り出した。長く養蚕・製糸の不況のどん底にあえいできた長野県は、満蒙開拓団ばかりでなく青少年義勇軍の送出でも日本一になった。教師自身も在満国民学校の教員となり、あるいは青少年義勇軍の中隊長となって行った。そして最後は逃避行の難民と行動を共にし、多くは非業の死を遂げている。こうして二・四事件と満蒙開拓団の悲劇は、私の心の中でひと繋がりの大きな社会的なドラマになった。

一九八一年から中国残留孤児の肉親探しの来日が始まった時、（注6）彼はどんな気持ちで孤児たちを見たのだろうか。孤児たちの関係者に、満蒙開拓に一番熱心だった長野出身者が多いのは当然だ。戦後四〇年近くたって、歴史がわれわれに突きつけたスティグマ。それも大きく成長して、いきなり目の前に現われた。たしかにこの時、彼の心のなかで小さな火が点いた。沈殿していた記憶がゆっくりと剝がれはじめ、水煙となって立ちのぼってきた。

二・四事件の結末が彼らの悲劇を生んだと。教師を辞めざるをえなかった自分、なにもできなかった自分に、おおきな無力感をおぼえたに違いない。しかしどうしても、人間に希望を見つけたかった。彼の二・四事件の見直しと満蒙開拓団(注7)の調査は、この時から始まった。事件以後沈黙をつづけている元の仲間にも連絡を取りはじめ、長野各地に頻繁に取材にでかける。そして、五年の時間をかけて、とうとう『大草原の夢』は一九八六年に出版された。

二・四事件でついえた信州の自由教育の精神が、遠く満洲の遙か彼方の原野の国民学校でよみがえる。彼の地でもう一度その自由教育を実現しようとした教師たちがいたという、小さな事実の発見。これをふくらませて、大河小説にしたかった。最後は映画にしたかったのではないだろうか。そのシナリオを書いていたのではないだろうか。そうでもしなかったら、彼ら残留孤児の悲劇は救われない、いや二・四事件の犠牲者もそしていま生きているわれわれすべてがとうてい救われないと、考えたのではないだろうか。

彼は最後まで『大草原の夢』の手入れをやめなかった。初版本は付箋と朱であふれ、メモが貼られて大きくふらんでいた。映画作家として、膨大な資料集めをしながら、最後にはそれをほとんど削ぎ落とし、短編映画のシナリオにする仕事を終生してきた彼にも、二・四事件と満蒙開拓団の悲劇をつなげる美しい「物語」を作り上げることは、むずかしかった。
ノンフィクションにするには、あまりにも生々しすぎ、フィクションにするには、あまりにも虚構すぎる。それにもかかわらず、二・四事件と満蒙開拓を生き抜いた人間群像を描く、二〇六本目の映画の製作を、最後まで夢みていたのだろう。

注

1――『抵抗の歴史――戦時下長野県における教育労働者の戦い』(二・四事件記録刊行委員会編、労働旬報社、一九六九年)。彼は匿名の証言者の一人として登場している。『信州昭和史の空白』(信濃毎日新聞社編、同社刊、一九九三年)。「二・四事件の周辺」では二人の事件関係者の資料と証言が収録されている。

2――高倉輝(タカクラ・テル)は一九三九年(昭和一四)に『大原幽学』、一九五一年には『ハコネ用水』を発表。戦後は一九四六年に日本共産党の衆議院議員、一九五〇年に参議院議員に当選したが、参院選の翌日にGHQからレッドパージをうける。

3――岡部昭彦は科学評論家で、月刊科学雑誌『自然』(中央公論社)の元編集長。

4――戦前の作品については、『来し方の記　7』(信濃毎日新聞社、一九八四年)、桜映画時代の作品については『映画の旅』(新宿書房、一九七五年)『桜映画の仕事1955→1991』(新宿書房、一九九二年)を参照。彼のかかわった映画については資料が不完全のため不明なものも多い。

5——その後、つぎのような本も出ている。『満蒙開拓青少年義勇軍と信濃教育会』(長野県歴史教育者協議会編、大月書店、二〇〇〇年)

6——旧厚生省による中国残留孤児の身元捜しは、長野県下伊那郡阿智村の住職、山本慈昭によって一九七三年につくられた「日中友好手をつなぐ会」から始まる。山本は一九四五年(昭和二〇)五月、満蒙開拓の「阿智郷開拓団」に教員として参加、妻と娘二人も同行したが、終戦時に生き別れる。

7——満洲国の成立は一九三二年三月。同年一〇月には第一次の移民が始まっている。

[2001. 6. 13]

映画四兄弟

ときどき、夢中になって本を作ることがある。いや、いつでも熱中して本を作っているが、どうしても力が入ってしまう本がマレにある。

村山新治という映画監督をご存知だろうか。新作の二本の映画が一週間おきに町の映画館にかかっていた、昭和戦後の映画黄金期。それこそ二〇日ぐらいの期間で製作された「プログラム・ピクチャー」。

その時代の一九五七年に『警視庁物語　上野発五時三五分』（東映・東京）で監督デビューしたのが、村山新治である。この「警視庁物語シリーズ」のほか、『白い粉の恐怖』『七つ弾丸』『故郷（ふるさと）は緑なりき』などの作品を思い浮かべる人もいるかもしれない。いわゆる「東映リアリズム」の潮流を作ったひとりであり、後にアクションから風俗までその作品の幅をひろげ、テレビ映画に舞台を移してからは「ザ・ガードマン」「キイハンター」などのシリーズも手がけた。

雑誌『映画芸術』の二〇〇〇年夏号（第三九一号）から二〇〇一年春号（第三九四号）までの四号にわたって掲載された、村山新治の「私が関わった映画、その時代」。この連載と並行して掲載されたのが、連続四回の「特別座談会　東映で村山新治の助監督を務めた両巨匠が読み解く〝その時代〟」。司会は同誌編集長で脚本家で監督でもある荒井晴彦。出席者は村山新治と「両巨匠」のふたり。この「両巨匠」とは深作欣二監督と澤井信一郎監督である。片方の巨匠、深作欣二監督はこの二年後の二〇〇三年に惜しくも七二歳で亡くなっている。

村山新治は実は私の叔父である。私の父、村山英治の弟にあたる。いまから、五年前の夏、雑誌に掲載されて一〇年以上も過ぎたある日、私のところに長兄の村山正実がやってきて、なんとかこれを単行本にしようよ、このままにしておくのはもったいない、と出版の話を持ち込んできた。それには、連載だけでなく、その座談会も収録し、さらに監督デビュー直後で終わっているあの連載以降に撮った映画、テレビなどの監督作品について、あらためて村山新治本人にインタビューし、これで一冊の本にしよう、さらに詳細なフィルモグラフィーも入れてと、どんどん話は膨らんでいった。

さっそく、二〇一一年の夏から秋にかけて、毎月一回、叔父の家で私と兄でインタビューを敢行。速記の永田典子さんに一〇時間以上の録音を文字起こししてもらい、これをなんとか原稿にした。

その間、写真家の大木茂さん（彼は写真集『汽罐車』の著者だが、東映の映画スチールも数多く担当している）に、著者近影を撮ってもらい、アルバム、当時のシナリオなどの大量の資料も複写してもらった。

ようやく原稿整理も終わり、著者によるチェックも済んで、いよいよ進行というところで、全体の構成などについて、議論や注文が出てきた。ここでは詳しいことは省くが、まったく編集の動きが止まり、この企画はいわば「お蔵入り」になってしまったのである。

それから、さらに五年近くが過ぎた。この間、兄の大病もあった。私も高まった気分がしぼんだ。何事にもタイミングというものがある。

しかし、なんとか本にしないかという周囲からの声に押され、いままた編集が再開された。村山新治は今年（二〇一六年）七月一〇日に満九四歳の誕生日を迎える。誕生日祝いには間に合わないが、なんとか今年中に本にしようと、奮戦しているところだ。

ここに一枚の写真（『村山和雄さんを偲ぶ』私家版、二〇〇一年一二月より）がある。キャプションには「映画兄弟　一九六二年（左から　二男英治、四男新治、六男和雄、五男祐治）」とある。撮影場所は父英治の鷺宮の自宅の居間、恒例の新年会でのスナップだ。男六人兄弟（他に三人姉妹がいたが）のうち、長男と三男をのぞいて四人が映画屋なのである。英治（桜映画社社長）、新治（東映映画監督）、和雄（東映教育映画カメラマン）、祐治（新生映画社長）。教員をやめて芸術映画社に入った兄英治をたよって、みな映画の世界に入ったのだ。

さらに言えば、この村山新治の本を編集している長兄の村山正実は、父がつくった桜映画社で数多くの記録映画を手がけた監督である。本書製作の協力者のひとり、村山英世は私の次兄で元桜映画社の社長で、現在は記録映画保存センターの事務局長。ちなみに桜映画社・現社長の村山憲太郎は英世の長男になる。

本書はいわば、戦後の東宝争議をはさんで、空前の映画の隆盛を迎える映画制作の現場を活写した優れた記録の本であるばかりでなく、村山英治からはじまる映画四兄弟、ある映画家族の、いわばサーガとなる家族を描いたものになるはずだ——そう私は思う。

ただひとりそのサーガの環の外にいる私は、この本の誕生にどうしても力が入るわけなのである。

［2016. 6. 4］

付記

村山新治の本の編集はこれからさらに二年の時間が過ぎた後、『村山新治、上野発五時三五分——私が関わった映画、その時代』（村山新治著、村山正実編）となって、ようやく二〇一八年五月に刊行することができた。

村山新治と佐伯孚治

村山新治の本を編集していて、ずっと気になっていた人がいた。

佐伯孚治（さえきたかはる）。映画監督、特撮テレビドラマの演出家である。一九六四年に東映監督としてデビューしたにもかかわらず、劇場用映画作品はわずか二作のみである。『村山新治、上野発五時三五分』が昨年（二〇一八年）刊行される四ヶ月前の一月一三日に亡くなった。佐伯は村山より五歳下の一九二七年生まれであった。

先日、「佐伯孚治監督に聞く　わが映画人生と組合体験」（聞き手＝四茂野修）というインタビュー記事があることを、ある方から教えていただいた。

その記事は雑誌『われらのインター』（第二九号、国際労働総研、二〇一〇年二月一〇日）に掲載されたものである。

このインタビュー記事をもとに、佐伯孚治を中心に、これに同時代の村山新治らの動きを重ねた「クロニクル」をまず作ってみた。

一九四五年　八月一五日、村山新治、朝日映画社の助監督で敗戦を迎える。
一九四七年　東大協同組合出版部から『はるかなる山河に――東大戦歿学生の手記』が刊行される。東横映画に入社した岡田茂がこの手記の映画化を企画するが、東大全学連の氏家齊一郎（せいいちろう）（一九二六～二〇一一、元日本テレビ代表取締会長）らが映画化の内容に反対して、製作は難航。
一九四八年　四月、佐伯孚治、東京大学入学。佐伯の所属した日本共産党東大細胞のキャップは戸塚秀夫（一九三〇～二〇一七、東京大学社会科学研究所名誉教授）だった。
一九四八年　八月、第三次東宝争議で米占領軍が出動。
一九四九年　一月、村山新治がいた新世界映画社（朝日映画社から社名を変えた）が倒産。当時、記録映画『号笛なりやまず』（49、浅野辰雄監督）を撮影中だった。
一〇月、戦歿学生の手記集の続編、日本戦歿学生手記編集委員会編『きけわだつみのこえ――日本戦歿学生の手記』（東大協同組合出版部）が刊行。映画のタイトルは同書からとった。東横映画の脚本に再三クレームをつけた学生側は「監視役として学生二人を撮影現場につけること、版権料二〇万円とフィルム一本を全学連に提供すること」で東横映画の映画製作を了承した。
一九五〇年　一月、コミンフォルムによる、日本共産党批判。この評価をめぐり、日本共産党は所感派と国際派に分裂。

一九五一年　四月一日、村山新治、太泉映画に入社。助監督（セカンド）。

六月一五日、東横映画『日本戦歿学生の手記　きけ、わだつみの声』（監督＝関川秀雄、脚本＝船橋和郎、音楽＝伊福部昭）公開。東大細胞の国際派に所属する佐伯孚治は提供された映画のフィルムをかついで、九州にまで反戦学生同盟づくりのオルグに出かけた。

六月二五日、朝鮮戦争起こる。

一九五二年　四月一日、東横映画、東京映画配給、太泉映画の三社が合併して、「東映」が発足。村山新治、東映入社、小林恒夫とともに助監督（チーフ）に。

一九五二年　二月、国際派の東大細胞で「査問・リンチ事件」が起きる。スパイ容疑で査問・リンチされたのは、戸塚秀夫、不破哲三、高沢寅男の三人。

五月一日、血のメーデー事件。六月には吹田事件、七月には大須事件も。

村山新治、東映労働組合中央委員になる。

一九五三年　一月九日、『ひめゆりの塔』（監督＝今井正、助監督（チーフ）＝村山新治）公開。

四月、深作欣二（一九三〇〜二〇〇三）、東映入社。

七月二七日、朝鮮戦争の休戦協定調印。

一九五四年　四月、佐伯孚治、東映入社。同期には平山亨、高岩淡、小西通雄。

村山新治、東映労働組合東撮支部委員長に。

一九五六年　一月二九日、『大地の侍』（監督＝佐伯清、助監督（チーフ）＝村山新治、助監督（フォース？）＝佐伯孚治）公開。
一九五七年　村山新治、東撮支部委員長を辞め、契約社員になる。
　　　　　　八月二八日、村山新治『警視庁物語　上野発五時三五分』で劇場映画監督デビュー。
一九五七年　一〇月一五日、『純愛物語』（監督＝今井正、助監督（サード）＝佐伯孚治）公開。
一九五八年　映画館入場者数が十一億人を超えピークに。
一九五九年　一二月六日、『べらんめえ芸者』（監督＝小石栄一、助監督（セカンド）＝佐伯孚治）
　　　　　　佐伯は同作品の続編、『続べらんめえ芸者』（60）『続々べらんめえ芸者』（60）『べらんめえ芸者罷り通る』（61）でも助監督（サード）に。
一九六一年　四月一日、澤井信一郎（一九三八〜二〇二一）、東映入社。
　　　　　　六月九日、深作欣二、『風来坊探偵　赤い谷の惨劇』で劇場映画監督デビュー。
　　　　　　一一月二二日、『はだかっ子』（監督＝田坂具隆、助監督（チーフ）＝佐伯孚治）公開。
一九六三年　一一月一日、『五番町夕霧楼』（監督＝田坂具隆、助監督（チーフ）＝佐伯孚治）公開。
　　　　　　宮崎駿が東映動画に入社。
一九六四年　四月一八日、佐伯孚治、『どろ犬』で劇場映画監督デビュー。
　　　　　　宮崎駿は東映動画労組の書記長（七一年に退社）。

一九六五年　佐伯孚治、傍系のテレビドラマ専門製作部門の東映東京制作所に異動（これ以降は佐伯孚治インタビューに掲載されている「東映労組東京撮影所支部の歴史」を参照）。
一九八一年　八月八日、澤井信一郎、『野菊の墓』で劇場映画監督デビュー。
一九八二年　佐伯孚治、定年で東映を退職。

「佐伯孚治監督主要作品」によれば、佐伯の劇場映画監督作品は前述した『どろ犬』（64、原作＝結城昌治、助監督（チーフ）＝降旗康男、助監督（サード）小林義明、撮影＝飯村雅彦、出演者＝大木実、他））と『高原に列車が走った』（84、撮影＝林七郎、出演者＝美保純、他）のわずか二本である。

村山新治と佐伯孚治は一九五四年から五七年まで助監督として東映東京撮影所（大泉）にいたことがわかる。佐伯清監督の『大地の侍』（56）では、二人は助監督として一緒に仕事もしている。

佐伯孚治は『どろ犬』の後、どうして映画が撮れなくなったのか。インタビュー記事から引用してみよう。

監督になって初めて『どろ犬』という映画を撮ったばかりのとき、世田谷にある大川社長宅にデモをかけたのに僕も参加したんです。東京撮影所の支部委員長の首切りに反対する行動でしたから、僕のいた演出部会も大部分が行きました。ところが運悪くスポーツ紙の記者が撮った写真に僕が写っていたらしい。それを誰かが社長に持っていった。当時は監督に登用されると社長室にあいさつに行くことになっていたので、僕の顔を見つけた社長が、〈監督のくせに家にデモで押し掛けるとは何事だ。今後絶対に映画を撮らせるな〉と激怒したとか。それ以来、僕は自分の会社で監督ができなくなりました。いわゆる干されたんです。

実際、佐伯孚治が二本目の映画『高原に列車が走った』を監督したのは、大川博が死んだ一九七一年からさらに一三年後、『どろ犬』監督からは、実に二〇年の歳月が過ぎた八四年のことである。佐伯はその間、八二年に東映を定年退職していた。

一九六〇年当時、東映東京撮影所（東撮＝大泉）の撮影現場には臨時契約者という人たちが全体の八割もいた。彼ら全員の組合加入が実現したのが一九六一年。これで東映労組は一三〇〇人から二四〇〇人に膨れあがる。ここから会社側の組合つぶしが始まる。そして一九六五年には東撮を二分してテレビ映画とCMをつくる「東京制作所」ができる。ここに東映労組の活動家全員が配転される。佐伯はまずそこに入れられ、さらに目黒にできたPR分室に追いやられた。出勤すれど仕事は一切ないという状態に置かれる。

その後、組合は契約者と呼ばれた契約ベースで働く人たちの組織化を進めます。そうするとまた攻撃が始まりました。子会社がつくられ、仕事の持ち出し（外注）が拡大するのにあわせて、組合員の仕事がどんどん減らされて行きました。ついに一九七六年には仕事はすべて持ち出しになり、撮影所には建物と組合員だけ残されました。目の前で外注先の会社の人たちが仕事をするのを、組合員は指をくわえて見ていることしかできなくなります。

いろいろジグザグはありましたが、手を焼いた会社は組合員が出向して企画営業部をつくり、そこが仕事を見つけてきて、自分たちでやってみろということになりました。組合側も仕事が見つかるまでは、他の事業所への「スタッフ派遣」や他社への「人材貸出し」も進んで受けることにしました。そしてついに東京12チャンネルから『ザ・スーパーガール』シリーズ（一九七九〜八〇年）を受注して、自主制作が始まりました。組合員は大変な苦労をしましたが、出来上がった作品は好評で、僕もそこで次々仕事が出来るようになりました。そのあと、自主制作はフジテレビの日曜の朝の子供番組（「東映不思議コメディー」シリーズ）に引き継がれましたが、それまで数パーセントしかなかった時間帯で、一〇パーセント台半ばを超える視聴率をかせぐようになり、一二年も続きました。大企業の中で、組合が長年にわたって自主制作をやるというのは、おそらく前代未聞のことじゃないでしょうか。この実績の上に、一九八五年についに組合員全員の東京撮影所復帰を実現しました。二〇年ぶりのことです。

村山新治は一九六〇年代後半に入ると、監督作品が減ってくる。一九六八年四本、一九六九年はなし、一九七〇年一本、一九七一年二本、一九七二年二本、一九七三年はなし。そして一九七四年は一本、これは最後の劇場映画『実録・飛車角 狼どもの仁義』である（『村山新治、上野発五時三五分』「村山新治フィルモグラフィー」参照）。当時まだ五二歳だった。そして、大泉の東映東京撮影所の中にある東京制作所で、テレビ映画監督になっていく。

このとき（『キイハンター』）に僕は初めて制作所で仕事をしたんだけども。行ってみたら、そこにいる連中は〈俺たちは組合運動をやったからこっちに追いやられた〉みたいなことを言ってね。（笑）やたらに文句にが多くて、不平不満が多かった。かつ人も大勢いた。

（前掲書、三三七〜三三八頁）

一九七二年には最盛期一一億人を超えた映画館入場者数が二億人を割っていた。映画は斜陽時代に入っていた。撮影所の仕事は劇場映画からテレビ映画の製作に大きく舵を切っていた。

一九六四年の映画デビュー以来長い間干されてきた佐伯孚治が組合の仲間たちとともに立ち上げた東映内自主制作の映画づくりの輪の中に、村山新治が入っていく。そのふたりは、テレビ映画の『刑事くん』『新宿警察』『宇宙鉄人キョーダイン』『ザ・スーパーガール』『ニュードキュメンタリードラマ昭和　松本清張事件にせまる』などに監督として関わった。

特に一九八一年から始まり九三年までの一二年間フジテレビ系で放送された「東映不思議コメ

ディー」シリーズ（第一作〜第一四作）。同シリーズの製作や企画には佐伯の東映入社同期の平山亨（一九二九〜二〇一三）や後輩の小林義明（一九三六〜）らが加わった。佐伯は同シリーズの全作品に関わったが、村山も八七年から九三年の放送終了まで関わったのである。

ふたりの最後の仕事となったこのシリーズ。かつては『大地の侍』で助監督としてともに働いたふたりが、およそ三〇年後にふたたび一緒に働き、かつての撮影所仲間にまるで抱かれるように、それぞれの現役を終えたことになる。時に村山七一歳、佐伯六六歳であった。

［2019. 2. 1］

記録映画『アメリカの家庭生活』と三冊の本

国立映画アーカイブが「映画の教室2019――PR映画にみる映画作家たち」（二〇一九年五月八日～七月三日、毎回午後七時二〇分より）というイベントを開催する。

六月五日には、桜映画社の特集が開催される。そこで取り上げられる映画作家は、村山英治、杉井ギサブロー、大塚康生の三人で、『アメリカの家庭生活　第二部　おかあさんの仕事』『たすけあいの歴史――生命保険のはじまり』『草原の子テングリ』の三本の映画が上映され、研究員の解説がある。

そこで本稿では村山英治監督の『アメリカの家庭生活』にふれてみたい。記録映画『アメリカの家庭生活』は35ミリ・カラーの三部構成になっており、全九一分。第一部「子供のしつけ」（三二分）第二部「おかあさんの仕事」（二八分）第三部「アメリカの若い農家」（三一分）である。

＊

脚本・演出の村山英治は以下の三冊の書籍の中で、この記録映画『アメリカの家庭生活』のアメリカ・ロケについて記述している。

1、『映画の旅——アメリカ・イギリスの家庭生活』（新宿書房、一九七五年）「第一部　アメリカの旅」（第一章「アメリカの農家」、第二章「アメリカの家庭生活」、第三章「続・アメリカの家庭生活」）「第二部　素顔のイギリス」の構成。四六判並製函入り（装丁＝中垣信夫）、三三二頁。うち第一部は二〇八頁を占める。

2、『来し方の記　7』（「村山英治——心ある映画づくり」を収録、信濃毎日新聞社、一九八四年）一九八二年一〇月～一一月に『信濃毎日新聞』に連載された村山の回想が収録されている。この中の「9　アメリカの農村ルポ」がこの映画ロケの記録。四六判並製。

3、『桜映画の仕事　１９５５―１９９１』（発行＝桜映画社、発売＝新宿書房、一九九二年）三二九本の作品解説と「映画に生きる（私的回想）」を収録。Ａ５判上製（装丁＝野路健）、三四四頁。

実は『映画の旅』と『桜映画の仕事』の編集・製作には私自身も関わっている。『桜映画の仕事』は新宿書房だが、『映画の旅』はまだ平凡社在籍中のことであった。

＊

アメリカへのロケ隊は一九六三年（昭和三八）八月に羽田を発って始まり、約三ヶ月余を過ぎた一二月に帰国して終わっている。

スタッフは村山とカメラマン二人の計三人。カメラマンは小松浩と加藤和郎である。ロケに持って行ったものはカメラと交換レンズ、撮影用フィルム、ライト、録音機など。

一九六三年（昭和三八）八月二六日、朝の出発が遅れて昼近くに離陸。『映画の旅』の巻頭にある地図によれば、行路順路は以下のようになる。羽田→①サンフランシスコ（カリフォルニア州）→②ニューヨーク→③ワシントン→④シカゴ（イリノイ州）→⑤マディソン（ウィスコンシン州）→⑥シカゴ→⑦エバンストン（イリノイ州）→⑧ニューヨーク→⑨ウッドベリー（コネチカット州）→⑩ニューヨーク→⑪シカゴ→⑫エバンストン→⑬シカゴ→⑭サンフランシスコ→羽田。この行路を三ヶ月余で廻ったわけである。

映画の目的は、アメリカの都市の中流家庭の生活を撮ること。しかし、記録映画は周到に用意したシナリオを持って現場に行っても、そのまま撮れるわけではない。しかも、村山にとっては初めての海外旅行、当時すでに五二歳。さらに一行の三人とも英語は話せない。それでも、出発前に本などで調べ、人に会ってアメリカの社会事情を勉強する。

アメリカの家庭生活のおおまかなアウトラインは評論家の坂西志保（一八九六～一九七六）さんからレクチャーを受けたにちがいない。戦前に在米経験のある市川房枝（一八九三～一九八一）さんからもアドバイスをもらったはずだ。

でき上がった作品の第三部「アメリカの若い農家」となったパートにはネタ本があった。東京大学文学部教授で家族社会学者の福武直（ふくたけただし）（一九一七～八九）さんの著した『世界農村の旅』（東京大学出版会、一九六二年）の「アメリカの農村」の章だ。アメリカの中規模農家では子供が父の農場を継ぐのに、農場の持ち主である父と収益を折半する「分益小作」（シエア・レンタル）が昔からの風習であるという。

出発前に福武教授から、ウィスコンシン州の州都マディソンにあるウィスコンシン大学の農村社会学科のウィルケニング教授やジェームス・バング講師（韓国系アメリカ人）への紹介状ももらっている。同書に出てくる農場にも目星がついている。しかし、映画の主テーマである第一部、第二部は撮影場所や取材する家庭さえも決まっていない。ともかく、架空の家庭での撮影シナリオを作り、さらに現地での交渉にも役に立つように、そのシナリオの英訳も持って行った。

『映画の旅』の中で、こんなことを書いている。「記録映画ではシナリオは現場で撮影しながら一度も二度も書き直される」

映画ロケで大変重要な役割を果たすことになるふたりの女性に、偶然に出会うことができたという幸運に恵まれ、家庭を次々と紹介され、撮影を重ねることができた。そのひとり、ルース・マッシウス女史（アメリカ最大の家庭婦人誌『レディース・ホーム・ジャーナル』に家庭訪問の記事を書いているジャーナリスト）はワシントンの連邦政府機関で紹介してもらう。

また、コネチカット州にある元イェール大学児童研究所、当時は「ゲゼル児童研究所」、の女性研究者には飛び込みで、英訳したシナリオをみてもらう。「一般的でない」「真実でない」「？」とさんざん書き込まれてシナリオは返された。とどめは「ここで書かれているのはアメリカの戦前の記録です」と。

そこで村山は腹をくくる。「たいへん明快で、文字通り眼からウロコが落ちる思い。登山のパーティーが登頂に失敗して下方のベースキャンプに引き返したようなものだ」「予算もなく、広大なアメリカでロケ地も決まっていないとなると、おおよその見当で、ぶつかったところで納得のいくものを撮りながら、シナリオを訂正してくしかない。しかし、今度のシナリオは、半分は現場のカメラで書くようなものである。何が出てくるか分らないとなると、運と努力と乏しい才能を繕い合わせての勝負であった」

こうした現場での試行錯誤の連続から、当初考えていたニューイングランドでの撮影は縮小して、最初のロケ地のイリノイ州に戻り、一般家庭の子供のしつけとおかあさんの仕事をテーマに撮影。最後に老人たちの生活をサンフランシスコで撮り、ついに三ヶ月余の長期ロケは終わる。

一九六三年はどんな時代だったのだろうか。日本では池田勇人内閣の時代で、いわゆる「オリンピック景気」の到来。すでにベトナム戦争は始まっており、翌年の六四年一〇月には東京オリンピックが開催される。アメリカでは六三年八月二八日に人種差別撤廃の「ワシントン大行進」があった。

実は村山たちはアメリカ滞在中に大変な事件に遭遇する。シカゴの街で映画撮影していた一一月二二日に、南部テキサス州のダラスでケネディ大統領が暗殺されたのだ。シカゴの町も半旗で埋め尽くされ、翌日の撮影は中止となる。

父の村山英治がアメリカ・ロケをしたのが一九六三年。記録映画『アメリカの家庭生活』が完成したのが一九六四年。そしてロケの記録を綴った『映画の旅』が出版されたのが、一九七五年である。同書の編集・製作に私が関わったことはすでに述べた。実はこの本の出版の二年前の一九七三年、ちょうど記録映画『アメリカの家庭生活』のロケ地に近いところを私も旅をしている。父の映画ロケの一〇年後のことだ。

当時、平凡社に入社して三年目。会社の近くに、国際生活体験のプログラムを組んでいる団体があった。いまでいうなら、語学研修とホームステイを合わせたようなものだろう。

一度も海外に出たことのなかった私は、このプログラムに応募しようと会社に休暇願いを出し、半年の休職(無給です)のお許しをもらい、五月にアメリカに向かった。ニューヨークからバスで向かった語学学校はバーモント州の最南部、ブラッテルボロという市にあり、学校は市街から離れた山の中にあった。バーモントはニューイングランド地方の一部で南北に細長い州、北はカナダの国境に接している。また東にはニューハンプシャー州、メイン州と続く。週末には、生徒仲間でモントリオールやボストンにも出かけた。

この語学学校でひと夏を過ごした。学生の多くはヨーロッパや中南米から来た者が多く、日本人も一〇人近くいた。前年の初夏に起きたウォーターゲート事件の波紋はこの小さな学校にも及んでいて、教師を中心に反ニクソンの小さな集会も開かれていた。

ニューイングランドの自然はそれはそれは美しかった。ニューハンプシャーの森の中にサリンジャーが隠遁していたことを知ったのは、帰国してからずっとあとのことだ。ソ連を追放されたソルジェニーツィンが一九七六年にアメリカに来て住んだのもこのバーモントだ。そしてこのニューイングランド地方には都会から移り住んで来る若者が多く、小さな大学もたくさんあった。

父のロケ隊が撮影したウッドベリーは、ここバーモントから近いし、景観も似ている。

夏の学校が終わり、希望先を出して、ホストファミリーを選択する。私の希望は「五大湖周辺の農家」。決まった先は、ミシガン州のフリント郊外の農村地帯、ノースブランチという小さな村の酪農を営む農家だった。ここにおよそ一ヶ月お世話になり、毎朝ミルカーという搾乳器を雌牛の乳房につける作業を手伝った。週末はキャンプなどに行き、そこの農家の小さな子供と遊んだ。自分が二五歳を過ぎていることを忘れて暮らした。近くの町、カラマズーは永井荷風が一年ほど住んでいたところだ。

隣の家が見えない大草原の中のポツンとある一軒家。しかし、トイレは水洗だし、全部屋にエアコン。肌寒い朝にエアコンが自動的に動いていたことに大いに驚いた。夫人がまったく農作業を手伝わないことは映画『アメリカの家庭生活』と同じで、ご主人と何人かの手伝いの男衆がいた。

この農場から五大湖の一つ、ミシガン湖を挟んで映画に出てくるマディソンやエバンストンがある。

昨晩、急に思いついて、父の遺品がいろいろ詰め込んである茶箱の一つをあけてみた。古いシナリオがたくさんあり、第三部「アメリカの若い農家」のシナリオを発見した。中を見ると、指導を受けた福武直教授のアドバイスがいろいろ書き込まれていた。

いまから五六年前、アメリカの家庭生活に憧れをいだき、日本が目指す一つのモデルとして作られた映画だった。

いま、私たちの生活は果してその夢を実現しているのだろうか。

そしてまた、私たちはモデルとなった五大湖周辺の工業地帯（ラストベルト）や農村地帯が、いまやどのような姿になっているかを、少しは知っている。

[2019.4.19]

小さな映画会

五月二日（二〇一九年）の午後、一時間ばかりの小さな映画会をもった。場所は八ケ岳山麓にある山小屋。参加者は一二名。長兄夫婦と孫娘の三人、次兄夫婦、次兄長男夫婦と子供ふたりの四人、そしてわれわれ夫婦と妻の母の三人の一二人である。上映映画は二本。

『北国の米』一九四四年（昭和一九）
白黒　三一分　35ミリ
企画＝国際文化振興会
製作＝朝日映画社（注1）
占領軍の検閲番号22
スタッフ：
構成（脚本・演出）＝村山英治
撮影＝永塚一栄、柴山郁美

録音＝近藤健郎
編集＝西條賢二
音楽＝坂本良隆
解説＝瀧沢修

この映画は村山英治が三三歳の時の作品である。

一九四四年（昭和一九）から一九四五年までの一年間は、北海道にロケで滞在。撮影は四月から一〇月まで、一一月には完成したようだ。

『来し方の記　7』（信濃毎日新聞社、一九八四年）では、村山英治は次のように書いている。


敗戦にいたる昭和二十年の前半は、一年間のほとんどを北海道で過ごした。これは国際文化振興会というところの委託で、海外に日本の文化を紹介する映画だが、本来南方の作物である稲を寒冷な北海道にまで北上させ、日本有数の穀倉地帯をつくり上げた北方稲作と、欧米の人びとには親しみやすい北海道の酪農を紹介する二部作だった。私は脚本と監督を兼ねた。

『北海道の稲作』（原題か？）では、稲と言葉がかわせるといわれたほどの篤農家の細かな動作をカメラで追求した。北海道の稲作は生育期間を長くするために、陸苗代(おかなわしろ)に夜は被覆するが、朝日が射すと筵(むしろ)をとってやる。筵をめくって稲の顔色を見る老農の表情を、カメラマンは大地に寝転がって撮影した。芝山（柴山の間違い）という若い名カメラマンだった。

（『来し方の記　7』、一九〇〜一九一頁）

国際文化振興会は一九三四年（昭和九）に設立された外務省の外郭団体で日本文化を海外に紹介することを目的とした組織、略称はKBSといった。一九七二年にいまの国際交流基金となった。KBSが一九三〇年代から五〇年代までに製作した映画シリーズは「KBS文化映画」と呼ばれ、現在三九本が保存されている。そのリストによると、本作は「北国の米（日本の米）」のタイトルで、英語タイトルはRice in northern districtとなっており、製作年一九四四？ 31min. B/W Japanese narrationとある。だれもが予想もしなかった敗戦の前年になっても海外向けの文化映画を撮っていたことには驚くが、むしろ敗戦を迎えても、日常の生活や仕事は変わらず続いていたのが、一般庶民の現実なのだろう。

映画では稲の種の温冷法というのだろうか、お風呂の湯に入れたり、寒い川の中に袋に入れた種を一晩浸けたり、最後はホルマリンで消毒したりして、苗代に蒔く。育苗用被覆資材はいまではビニールを使うだろうが、当時は框（かまち）の上に障子で覆って寒さから保護した。障子紙は風に強いし防寒に向いている。昼の強い日射しの時、障子をあげて太陽の光に稲の若芽をさらす。

田んぼでは馬による農耕が始まっている。農耕馬による田起こしだ。画面の右から左に馬と農夫が移動する、同時に左から右へと別の人馬が移動する、さらにその奥と、そしてまた奥にと、幾重ものまるで影絵のシルエットのように人馬が行き来する。それは、印象派絵画のようなシーンだ。農婦が手植えする田植えが終わると、日に日に成長する稲。これを毎朝、稲と会話して様子を見回る老農。いよいよ刈り入れという時に、放射冷却による早霜が降りることもある。畔の四隅ごとに麦わらを燃やす天にのびる長い煙の柱、この夜のシーンが美しい。そうしていよいよ稲刈りだ。当時は機械などない、すべてが手仕事だ。

柴山郁美キャメラマンはこの撮影中に招集され、レイテ島で戦死した。もうひとりの永塚一栄（ながつかかずえ）キャメラマンは戦後、東横（東映）、日活で活躍、鈴木清順の映画を数多く撮っているが、本作のことは自身のフィルモグラフィーに入っていない。なお、村山英治の弟、村山新治は助監督時代、『泣虫記者』（52、春原（すのはら）政久監督、東映）で永塚一栄キャメラマンの下で仕事をすることになるのも不思議な縁だ。

「稲作編が一人の農民を追う地味な作品だったので」（村山、前掲書）、酪農編は酪農家の子弟を教育する『十勝農学校』という映画になった。しかし戦後になって占領軍の検閲で、軍国主義的な全寮生活などが問題となり、原版が没収されて、いまも行方不明だという。前に紹介した「KBS文化映画」のリストにも入っていない。

『号笛（ごうてき）なりやまず』一九四九年（昭和二四）
白黒　三六分　35ミリ

企画＝労映国鉄映画製作団（労映＝労働組合映画協議会）
スタッフ：
製作＝労映国鉄映画製作団、川井徳一
脚本＝大澤幹夫
監督（演出）＝浅野辰雄
助監督＝村山新治
製作助手＝岡野三郎
撮影＝中澤博治
録音＝安恵重遠
音楽＝箕作秋吉
合唱＝国鉄労働組合本省支部合唱団
製作担当＝新世界映画社

タイトルは『号笛鳴りやまず』の表記もあるが（佐藤忠男編著『シリーズ日本のドキュメンタリー5 資料編』岩波書店、二〇一〇年、など）、画面のタイトルは『号笛なりやまず』である。

本作を製作中の一九四九年二月、新世界映画社（一九四七年一月、朝日映画社が社名を「新世界映画社」に改称）が倒産。映画は仕上げ段階に入っていたが、製作を担当していた岡野三郎の機転で、岡野の母校の日大芸術学部の江古田校舎に持ち込み、録音・編集を完成させ、無事、国労に納品出

来た（『村山新治、上野発五時三五分』新宿書房、二〇一八年、五一〜五四頁）。

この時代は一体どんなことがあったのだろうか。一九四七年、二・一ゼネストがマッカーサーの声明で中止、四八年八月第三次東宝争議で米占領軍が出動、そして吉田内閣による国鉄職員大量整理政策で労使が対立している最中の四九年には、六月に日本国有鉄道（国鉄）が公共企業体として発足し、七月下山事件・三鷹事件、八月松川事件と米軍占領下で国鉄にからんだ奇怪な事件がつぎつぎと起こる（松本清張『日本の黒い霧』）、そして翌五〇年六月には朝鮮戦争が始まる、そんな時代だ。

さて、本作に戻る。大衆文化評論家の指田（さしだ）文夫さんのブログ（「指田文夫の「さすらい日乗」」）から借用させてもらう。

……、一九四九年国鉄労働組合の（一応新世界映画社になっているが）浅野辰雄監督、大沢幹夫脚本の『号笛なりやまず』だった。完全に国労の資金で作った組合宣伝映画だが、おそらく日本映画史上では土本典明監督の『ある機関助士』と並び最高の蒸気機関車映画（注2）だろう。

国労六〇万労働者のプロパガンダ映画なので、貨物操車場での人力による貨物列車の入替え作業やSLの釜たき等の労働が克明に記録されている。

当時は、戦後の労働運動の最大の高揚期（東宝のストライキと同時期）で、労働者の苛烈な労働と、また男らしい作業、ある意味ではアクション映画とも見られる映像がとても上手くミックスされている。

職場の様子も非常に面白く、毎月の賃金を渡す場面があるが、なんと野外の操車場の一隅に机を置き、そこで渡していて、そこには様々な物売りの女性が来ていて、買物のやり取りをしている。

今でも、役所の庁舎内や地下では売店があり、物を売っているが、当時は野外でやっていたのだろう。

昼休みの社員食堂の前に、背広、傘、靴などを売る出入りの物売が店をひろげているのは、昭和の風物詩だろう。国鉄では職場はすべて線路である。詰め所の前にまで物売がやって来た。

また、音楽が箕作秋吉（注3）なのが貴重。

彼は、日本の現代音楽の代表的な作曲家の一人だが、映画音楽は少なく、映画音楽は初めて聞いたが、日本的な調性を生かした響きが非常に良い。

中では、〝雨や風には負けないが、かわいいあの娘にゃ負ける……〟という演歌調の曲がおかしい。ハーモニカで奏でられるのが非常に胸にしみる。

蒸気機関車映画の傑作と言われ、ナレーションを排し音楽と効果音、再現ドラマを交えて国鉄労働者の団結を訴える。

命懸けの貨物車入れ替え作業がすさまじい。彼らは本当にボロボロの服を着ているのだ。「風呂場に石けんを」「新しい機関車を」「新しい作業制服を」……。音声のない画面に手書き文字が踊る。

本上映会の企画者は村山英世（次兄。元桜映画社社長、現記録映画保存センター事務局長）。長兄は村山正実（映画監督）、次兄の長男は村山憲太郎（現桜映画社社長）。そして村山英治はわたしたち兄弟の父であり、村山新治は叔父である。最後に紹介しよう。妻の母、私の義母、岡野萬沙子は『号笛なりやまず』の製作助手として仕上げに貢献したあの岡野三郎の妻である。五月四日に満九四歳の誕生日を迎えた萬沙子さん、残念なことに『号笛なりやまず』の当時のことはまったく憶えていなかった。

戦後の朝日映画社に村山英治、新治の兄弟（彼らは芸術映画社時代から一緒）と岡野三郎が在籍していたことになる。一九四九年二月に新世界映画社（旧朝日映画社）が倒産し、およそ二〇〇人の社員が路頭に迷い、半数近くが映画界を去った。岡野三郎もそのひとりだ。村山英治は理研映画に移り、村山新治は太泉映画（後の東映）に入った。

注

1――一九四三年七月、朝日映画製作が芸術映画社（GES）などを吸収合併、「朝日映画社」になる。

2――蒸気機関車の記録映画傑作三作といわれる作品は以下の通り。
『機関車C57』（40）芸術映画社、今泉善珠監督。当時の最新鋭の蒸気機関車C57をモチーフに各部署の鉄道員たちの生活を浮彫りにしてみせた秀作。
『号笛なりやまず』（49）浅野辰雄監督。
『ある機関助士』（63）岩波映画製作所、土本典昭監督。全線電化を目前に控えた常磐線水戸～上野間を運行する蒸気機関士と機関助士の労働をダイナミックに綴った作品。

3――作曲家の箕作秋吉（みつくりしゅうきち）（一八九五～一九七一）は一九四七年第一八回メーデーのために募集した詩に作曲（『働く人のために（合唱）』）をしている。

[2019. 5. 10]

梅宮辰夫と村山新治

梅宮辰夫と村山新治。このふたりを並べてすぐさまその関係がわかる人はそういないだろう。二〇一九年の暮、一二月一二日に梅宮辰夫が死んだ。一九三八年三月生まれだから、享年八一だった。梅宮は、村山新治の東映監督作品に脇役・主演も入れて一四作品も出ている。村山新治の東映での映画監督作品は、全部で四四作品だから、梅宮は実に村山作品の三割に出ていることになる。以下、その作品を並べてみよう。

＊『村山新治、上野発五時三五分』（新宿書房、二〇一八年）の「村山新治フィルモグラフィー」から。

1、『海軍』（63）
2、『孤独の賭け』（65）
3、『いろ　夜の青春シリーズ2』（65）
4、『おんな番外地　鎖の牝犬』（65）
5、『夜の悪女　夜の青春シリーズ5』（65）

6、『夜の牝犬　夜の青春シリーズ6』(66)
7、『遊侠三代』(66)
8、『赤い夜光虫　夜の青春シリーズ7』(66)
9、『男度胸で勝負する』(66)
10、『ボスは俺の拳銃で』(66)
11、『柳ヶ瀬ブルース』(67)
12、『夜の手配師』(68)
13、『㊙トルコ風呂』(68)
14、『夜の歌謡シリーズ　伊勢佐木町ブルース』(68)

二人の作品での関係は一九六五年から六八年までに集中しており、特に六五年、六六年では梅宮は村山作品のすべてに出演している。

梅宮は死ぬ直前に双葉社から回想集『不良役者――梅宮辰夫が語る伝説の銀幕俳優破天荒譚』を刊行している。奥付の発行日は一二月二三日、双葉社のＨＰによると発売は二〇日となっている。梅宮が死んだのは一二日だから、絶妙なタイミングである。同書によれば、この回想集は双葉社の『週刊大衆』に、二〇一八年一月から一九年一〇月にかけて連載した「番長「銀幕夢物語」」を加筆修正したものとある。

同書の巻末にある「梅宮辰夫　劇場公開映画出演作品リスト」はなかなかの力作である。梅宮のデビューした一九五九年（昭和三四）から二〇一六年（平成二八）までの、全二四五作品を網羅している。梅宮のデビュー作は小林恒夫監督の『母と娘の瞳』であり、村山新治は、この二年前の一九五七年八月に『警視庁物語　上野発五時三五分』で劇場映画の監督デビューをしている。

さっそく、書店に行き、この『不良役者』を購入する。梅宮が村山新治について何を語っているか、期待して読んでみる。

しかし、本文では村山新治の名前は最後まで一度も出てこない。

同書の第一章「番長銀幕人生」の第一節「俺の代表作は『不良番長』でも『仁義なき戦い』でもない」のくだりで、梅宮はこう語る。

俺の答えは違う。『不良番長』が始まる前年に撮った『花札渡世』、これだね。今までに出た中では一番気に入っている。『花札渡世』というタイトルを聞いて、ピンとくる人は相当の映画通。たいていの人は見たことがないんじゃないかな。公開は一九六七年。監督は成澤（なるさわ）昌茂（まさしげ）さん。成澤さんと言えば、もともとは脚本家で、世界的に評価の高い名匠・溝口健二監督の弟子だった人だよ。溝口監督の晩年の（大映）映画、『噂の女』（54）『楊貴妃』（55）『新・平家物語』（55）では共同で脚本を執筆している。溝口監督の遺作となった『赤線地帯』（56）では単独で脚本を任されているからね。つまり、脚本家としての実力は超一流。東映に移籍後は『ひも』(65)『いろ』(65)といった俺の主演作の脚本も担当。監督としても何本か映画を撮ったんだけど、そのうちの一本が、やはり俺が主演した『花札渡世』だった。

『ひも』で始まる「夜の青春シリーズ」は全八作が作られた。シリーズのうち、『ひも』、第三作の『ダニ』、第四作の『かも』は関川秀雄が監督をし、残り五作品は村山新治が監督をしている。キャメラはすべて仲沢半次郎、脚本は『ダニ』(65)、『夜の手配師』(68)の下飯坂菊馬をのぞき、すべて成澤昌茂である。

梅宮から村山新治の名前が出てこないのは、村山新治自身の「かなりの皮肉屋で、役者を可愛がらない、役者をほめない」気質からかもしれない(笑)。

『村山新治、上野発五時三五分』の中の「インタビュー　自作を語る」で、村山は『いろ』と『遊侠三代』を取り上げている。『いろ』では「これがわりに風俗映画として話題になったもんだからね。あとは続けて何本かやったのだけど、くわしくは覚えていない。週刊誌ネタかなんかでやっているから、結局ロクなものができなかったわけですね」と、冷たい。

『遊侠三代』のところでは「主役の梅宮辰夫は、まあ好人物だね。(笑)わりと人のいいやつでね」とさらりと言う。

ちなみに『いろ』は脚本家の白坂依志夫(しらさかよしお)(一九三二〜二〇一五)に「今年のベスト・スリーに入る傑作だった」と激賞されている。

昨年末の二八日、村山新治宅を久しぶりに訪ねた。今年七月には九八歳になる叔父は変わらず元気で、梅宮辰夫が死にましたねと、話を向けても、「ああ、そうだね」と、ここでもあまり反応はしなかった。

村山新治は一九七四年の『実録・飛車角　狼どもの仁義』を最後に、完全にテレビドラマの監督に移る。そして梅宮との最後の作品から一六年後の一九八四年、久しぶりに劇場公開映画を撮る。それが『きみは風のように』（配給＝綜芸新社）だ。これに梅宮辰夫が出ているのだ（『不良役者』の巻末の出演作品リストには「役名不明」とある）。ふたりにはやはりなにか縁があったのかもしれない。

［2020. 1. 10］

村山新治、三鷹発二〇時二二分

東京・三鷹に住む映画監督・村山新治の夫人（叔母、洋画家＝村山容子（ひろこ））から電話あった。「昨晩（二〇二二年二月一四日、日曜日）の午後八時二二分に村山は亡くなりました。葬儀は家族だけでしますので、ごめんなさい」。密葬は一七日に行われた。

村山新治は一九二二年（大正一一）七月一〇日生まれだから、享年九八だ。一週間前まで食欲があったとのこと。静かに自宅で亡くなった。死因は老衰ということになる。コロナ禍のこともあり、新治叔父（父・村山英治の弟）に最後に会ったのは二〇一九年一二月の頃だろうか。その年の六月には、自分の本が「キネマ旬報映画本大賞２０１８」の第二位に選ばれたことも喜んでくれた（たぶん）。映画本大賞の選評には次のような文章があった。

東映東京撮影所の中軸監督として『警視庁物語』シリーズ（57～61）、実録犯罪映画の傑作『七つの弾丸』（59）、佐久間良子の女学生が神々しい『故郷（ふるさと）は緑なりき』（61）などを残した村山新治（一九二二～）の回想録。職人わざを発揮し、娯楽映画を作り続けた人生は、その

まま撮影所の歴史でもあった。出版には親族が関わり、敬愛をこめた丁寧な編集にも心うたれる。（尾形敏郎）

『村山新治、上野発五時三五分――私が関わった映画、その時代』（二〇一八年、写真・複写撮影＝大木茂、デザイン＝桜井雄一郎）が出版されるまで、第一部の原稿執筆から、なんと二〇年の歳月が流れている。この間の経過は本コラムでもふれてきた。まず二〇〇〇年から二〇〇一年にかけて雑誌『映画芸術』に、著者の回想と解説座談会（村山新治＋深作欣二＋澤井信一郎＋荒井晴彦）が四回にわたって連載された。

その後一〇年間の空白があって、二〇一一年にわれわれ兄弟が参加した出版編集が始まる。年末までに行った五回の著者インタビューをまとめた原稿を整理し、著者のチェックも済んだところで、その内容構成に対して著者から強い不満が出た。当時八九歳だった本人にもいろいろな葛藤があったに違いない。しかし、ここからまたおよそ五年間の中断が始まるのだ。

著者の不満はいくつかあったとおもわれる。第二部の監督デビュー以降の部分を本当は自分で書きたかった。一九五七年、三五歳で劇映画監督デビュー、それからわずか一七年後の一九七四年、五二歳で映画からテレビへ完全に舞台が移った自分の監督人生とその無念さ。それ以後のテレビの仕事には触れたくないし、実はあまり表に出したくない。一番残したかったのは、第一部の「私が関わった映画、その時代」だけだ。それにあえて仰々しい市販本にしたくない……などなど。

五年後の二〇一六年に編集再開するにあたって、ますます頑固になった著者から防衛（笑）する意味で、今後一切を編集者にゆだねるとの委任状をかわした。にもかかわらず、それからまた二年、編集に手間取った。今度は監督本人からいつ出るのかと苦情がくる。また事情を知らない関係者から、なんでこんなに時間がかかるんだとの質問を何回もいただいた。製作日程、公開上映日絶対厳守が身上の興行世界の映画人からすれば、このモタモタぶりが理解できなかったのだろう。

村山新治の訃報を知り、いろいろお世話になった方々と連絡をとった。まずは雑誌『映画芸術』のオーナーで脚本家・映画監督の荒井晴彦さん。その際、雑誌連載の後一〇年の間に、何か出版するような話がなかったかどうか、を聞いてみた。

そもそもは澤井（信一郎）さんだったか、深作（欣二）さんだったか、こういう原稿が有るんだけど、『映画芸術』で載せないかと。じゃ、応援で解説座談会やってくださいよと。本になればいいとは思っていたけど、どこからも話は来ないし、具体的にはならなかった。本にするには、監督デビュー後が必要だと思っていました。しかし、村山（新治）さんはもう書けないみたいで。インタビューするには力量不足で、誰かインタビュアーを探せばよかったのかもしれないが……。だから、『村山新治、上野発五時三五分』に第二部インタビュー自作を語るがあって、ちゃんとした立派な本になったなと思いました。

澤井監督、深作監督も東映で村山新治のもとで助監督を務めたいわば弟子。しかし、そうか、やはりどこも手を挙げなかったのだ。結局、われわれ甥たちが本を出したのも運命的なことかもしれない。

次に東京杉並の阿佐ヶ谷駅近くにある映画館「ラピュタ阿佐ヶ谷」の支配人の石井紫さん。同館はこれまで東映現代劇映画を積極的に特集上映してきている。先月の一月にも『七つの弾丸』(59)が上映されたばかりだ。石井さんにいままでの村山新治監督作品の上映記録をお聞きすると、たちどころにお答えをいただいた。

過去の上映履歴は当館ＨＰのアーカイヴから辿ることができます。抜けがあるかもしれませんが、ざっと調べた限りこのような感じでした。

二〇〇六年一一月　『孤独の賭け』
二〇〇六年一二月　『旅路』
二〇〇八年　九月　『孤独の賭け』
二〇〇九年　七月　『警視庁物語　遺留品なし』
二〇一〇年　一月　『夜の歌謡シリーズ　伊勢佐木町ブルース』
二〇一〇年　五月　『孤独の賭け』
二〇一一年　九月　『旅路』

二〇一一年一二月『故郷は緑なりき』
二〇一二年　一月『夜の歌謡シリーズ　伊勢佐木町ブルース』
二〇一三年　九月『おんな番外地　鎖の牝犬』※ニュープリント
二〇一四年一〇月『警視庁物語　遺留品なし』
二〇一五年　七月『故郷は緑なりき』
二〇一五年　七月『七つの弾丸』※ニュープリント
二〇一五年　八月『警視庁物語　顔のない女』
二〇一六年　四月『無法松の一生』
二〇一六年　四月『警視庁物語　遺留品なし』
二〇一六年　五月『東京アンタッチャブル』
二〇一六年　五月『おんな番外地　鎖の牝犬』
二〇一七年　九月『七つの弾丸』
二〇一七年　九月『白い粉の恐怖』※ニュープリント
二〇一七年　九月『無法松の一生』
二〇一七年　九月『東京アンタッチャブル』
二〇一八年　一月『警視庁物語　顔のない女』
二〇一八年　一月『警視庁物語　遺留品なし』

二〇一八年　八月　『おんな番外地　鎖の牝犬』
二〇一八年　八月　『夜の悪女』
二〇一八年　九月　『故郷は緑なりき』
二〇一八年　九月　『草の実』※ニュープリント
二〇一八年一〇月　『孤独の賭け』
二〇一八年一〇月　『旅路』
二〇二〇年　六月　『いろ』※ニュープリント
二〇二一年　一月　『七つの弾丸』

「警視庁物語」シリーズ前半はネガの状態が悪くリプリントできないので残念ですが…。『警視庁物語　12人の刑事』『海軍』『肉体の盛装』、また個人的に東映の風俗ものが大好きなので『夜の牝犬』『赤い夜光虫』『柳ヶ瀬ブルース』『夜の手配師』なども折をみてニュープリントにできればいいなと思っています。

村山新治の本のデザインをしてくれた桜井雄一郎さんにも。彼からもすぐに返事が来た。

村山さま　お知らせ、ありがとうございます。お悔やみ申し上げます。村山新治監督の本にかかわることができて、とてもうれしく思います。

このタイミングで、梅宮辰夫主演の「夜の青春」シリーズが、DVDセットで発売されます。三月一〇日発売です。

村山新治作品では、

『いろ』（一九六五年六月公開）〈夜の青春シリーズ2〉、
『夜の悪女』（一九六五年一二月公開）〈夜の青春シリーズ5〉、
『夜の牝犬』（一九六六年二月公開）〈夜の青春シリーズ6〉、
『赤い夜光虫』（一九六六年六月公開）〈夜の青春シリーズ7〉、
『夜の手配師』（一九六八年四月公開）、

とすべて、初DVD化ではないでしょうか。

桜井さん、さすがに映画情報通だ。

二月二四日（水）の『朝日新聞』朝刊の訃報欄（おくやみ）に「村山新治」が掲載された。村山の故郷の長野県の『信濃毎日新聞』や他の地方紙の一部にも訃報が出たようだ。朝日の「おくやみ」記事を見た朝広（朝日広告社）の有田寛さんが、『週刊文春』の小林信彦さんのコラムは知っていますかと、電話をくれた。知らなかった。それは同誌二〇二一年二月四日号のコラム（小林信彦連載「本音を申せば」第一〇九六回）だ。

小林はある日、郊外のデパートの中にある本屋で『村山新治、上野発五時三五分』という厚い本を買う。

この本で面白いのは、実は（失礼！）深作欣二、澤井信一郎、村山新治による座談会［司会は荒井晴彦］であり、これがないと、わかりにくい。東宝と東映の人脈のまざり方、人間関係が、一応、分るようになっている。〈中略〉村山新治という新人が東映に現れた……というので、ずっと読んでいたら、いつかテレビの方に行ってしまっていたがそのいきさつはこの本を読まないとよく分からない。

［2021. 2. 26］

褒めていただいていますよね。

山の作家・宇江敏勝とともに歩む

熊野へ

1

ほんとうに久しぶりに熊野を訪れた。三月二二日（二〇〇二年）の夕刻、ＪＲ川崎駅から市営バスに乗って、川崎のフェリーターミナルに向かった。帰宅を急ぐ人々があふれる駅ビルの喧騒は、バスが動き出すや、すぐに雨に濡れる暗いコンビナートの風景の中に消えていく。

パイプが入り組む石油精錬所のような工場には、まったく人気がない。乗客の多くは夜勤の人たちらしく、ポツポツと降りていく。このバスははたして港に向かっているのだろうか。川崎ターミナルはその工場のはずれにあったが、海が見えない。

午後七時二〇分、宮崎行きの一万トンのフェリーは川崎港を出航。かなり激しい雨の夜だが、海はしけていない。外海に出ても大したゆれもなく、那智勝浦に翌朝の五時五〇分に寄港。港には宇江敏勝さんと画家の酒見綾子さんが出迎えに来てくれた。宇江さんとは二〇〇〇年四月二日、両国国技館でのボクシング観戦以来の再会だ（『森の語り部』）。酒見さんには、旧版『山の木のひとりごと――わたしの民俗誌』（一九八四年）のカバー装画と本文の挿絵を描いていただいた。

宇江さんの車で、那智大社、青岸渡寺、那智の滝を見てまわり、補陀洛山寺に寄る。上人を那智の浜から生きたまま船に乗せ、外に出られないように釘付けにして沖に流し、南方海上にあるとされる観音浄土、補陀落世界へ往生しようとする宗教儀礼が「補陀落渡海」で、この寺から多くの渡海者が船出したという。熊野信仰の重要な宗教行事だ。

次に寄ったのが串本町の大島（紀伊大島）。かつては串本節で名高い串本と大島をむすんだ巡航船に代わって、いまは橋がかかり、車で渡れる。島には二つの記念館がある。「トルコ記念館」と「日米修交記念館」である。

一八九〇年（明治二三）六月、トルコ皇帝の特派使節として来日した軍艦エルトゥールル号が帰国の途中の九月一六日の夜に熊野灘で暴風雨にあい、六五〇余命の将兵のうち、五八七名が死んだ。遭難の際には大島島民が献身的に救助活動や遺体引き上げ作業を行ったという。

トルコ記念館はトルコ（土耳古）軍艦遭難記念碑の近くに建てられ、エウトゥールル号関係の資料展示をしている。その先には一八七〇年（明治三）にイギリス人技師によって建造された日本最古の石造りの樫野埼灯台がある。

実は四月下旬に、『犬と三日月――イスタンブールの七年』というエッセイ集を出す。加瀬由美子さんという、ものすごいパワーのある日本女性のトルコ生活記だ。トルコの人々がどうして日本贔屓なのか、よくその理由に挙げられるのが、このエルトゥールル号遭難に際しての日本人による救助活動と日露戦争の日本の勝利だという。そんな話を加瀬さんとしたばかりだったので、偶然の訪問がうれしかった。

日米修好は一八五三年（嘉永六）のペリーの浦賀入港をもって嚆矢とするのが、定説になっている。実はそれよりさかのぼること六二年前の一七九一年（寛政三）に、「レイディ・ワシントン号」（ケンドリック船長）とグレイス号の二隻のアメリカ商船がこの大島に寄航したことを記す文献があるという。

この事実を記念したのが、日米修好記念館だ。ノンフィクション作家の佐山和夫の著作もあるが、歴史学者はこの文献記録をどの程度評価しているのだろうか？　いずれにしてもこの大島がさまざまな歴史のロマンの舞台になっていることに間違いない。

さて、中辺路町野中の宇江さんの家の着いたわれわれは、奥さんの武子さん、宇江さんのお母さん、近くの白浜から手伝いに来ていた妹さんの女性チームの指揮の下、さっそく夕餉の支度にはいる。今晩はチャンコ風鍋だ。

［2002. 4. 3］

2

宇江さんは昨年、庭先に「ささゆり庵」と名づけた庵を建てた。笹百合はユリ科の多年草で、中部日本以西の山地に自生する。武子さんの説明によると、「主人が一番好きな花がササユリです。

庵のまわりはササユリでいっぱいにしたいと思っているようですが、ササユリは育てるのも増やすのもとても難しい花なので、ひそかに心配している」（『森の語り部』）そうだ。

庵は吹き抜けで、まだ木のにおいがプンプンする、立派な造り。板張りの部屋中央に桜の木のワクで囲まれた囲炉裏が切ってある。この庵にはトイレも台所もある。囲炉裏のある庵を作るのが、宇江さんの長い間の夢だったそうだ。炭焼生活の長かった宇江さんがどうしてもほしいのが、火の神なのだ。

翌朝は前の晩の熾き炭を起こして、鍋で茶粥をたべる。深酒で痛めた胃にやさしく、三杯もいただいてしまった。食後、愛犬のモコの散歩を頼まれ、村の道をぐるっとまわる。このモコは二〇年前に宇江さんの前の家にお邪魔した時に元気だったモコの二代目だ。初代モコは、『山に棲むなり』にたびたび登場する。

九時に妹さんを留守番に残し、車に総勢五人とモコを乗せて、道湯川の蛇形地蔵の祭りに出かける。熊野古道の湯川王子跡がのこる道湯川の里は、いまは住む人や家もないが、年一回の蛇形地蔵のお祭りには年々たくさんの参拝者がやってくる。『山に棲むなり』はこのお祭りのエッセイから始まる。

途中、お母さんを乗せていく宇江さんと別れ、われわれは熊野古道を歩いて蛇形地蔵を目指す。道は本当によく整備されている。今年の春はどこも早くやってきているらしく、ここの山の桜も満開だ。お祭りが始まる前に、湯川王子跡や後鳥羽上皇や貴族のお休み場所と伝えられる広大な石垣を見る。

湯川王子跡の横には「湯川一族発祥の地」と書いてある石碑が立っている。湯川姓が集まる「湯川会」という集まりもあって、その名誉会長はあの湯川秀樹博士の未亡人がつとめているという。

びっしりと植林されたうす暗い森から蟻の熊野詣といわれた往時の賑わいを想像するのは難しい。私は、かつて山尾三省さんとふたりで屋久島の縄文杉を目指した時を思い出す。あそこにもそれもわずか二〇年前まで賑わった林業事業所の町、小杉谷の集落跡があった。残っていたのは、タイルの台所の流しや小学校の門とグランドだけ。あとは一面に植林された樹木で封印されていた。

木立の中の地蔵さんの前での読経が終わると、みんなぞろぞろ川原の広場に下りていく。そこにはパイプの櫓が組んである。世話人が何人か上にあがり、宇江さんの法螺貝を合図に、恒例の餅まきが始まる。ビニール袋に包まれた小さな餅は固くて、体に当たると痛い。それでも子供らと競うように餅を取り合う。それが終わると、満開の山桜の下で、お昼となる。ビールとお酒がうまい。

五月中旬にまた熊野に来ることになりそうだ。今度は札幌から編集者の室野井洋子さんも合流するはずだ。「宇江敏勝の本」第六巻『若葉は萌えて——山林労働者の日記』が初夏には刊行される。今回の熊野行は増補する新原稿の打ち合わせが主要課題。蛇形地蔵から帰って、さっさと済ませる。五月半ばには、新原稿の校正が終わっているはずだし、カツオがメチャメチャにおいしい頃だ。

夕方、近露（ちかつゆ）王子跡にちかいＪＲバスの停留所まで宇江さんに送ってもらう。バスが来るまで、目の前にある旧家の二五〇年以上の樹齢といわれるシダレザクラを庭から見せてもらう。この静かな町でも、自治体合併の話がおきているそうだ。実現すれば日本一の面積をもつ市になるとか。
帰路はバスで紀伊田辺に行き、白浜から飛行機で五五分の旅だ。

[2002. 4. 8]

山の人生　山の文学　作家・宇江敏勝

熊野古道に近い和歌山県田辺市中辺路町に暮らす作家の宇江敏勝さん（八一）。炭焼きの家に生まれた宇江さんは、自ら炭焼きや山林労働者として働き、山人たちの暮らしをつづった数々のルポルタージュを発表してきた。そして二〇一一年から果無山脈や十津川などを舞台に、山の民の信仰や伝説を描いた民俗伝奇小説を書き継いできた。熊野に生き、そして書いた、宇江さんのはるかなる山の人生と文学について語っていただく。

（NHK　Eテレ HPの番組情報より）

二〇一九年一月二七日（日）朝五時から、そして再放送は二月二日（土）午後一時から、Eテレで一時間にわたって『こころの時代　山の人生　山の文学　作家・宇江敏勝』が放映された。

番組では西世賢寿（にしよけんじゅ）ディレクターが聞き手として登場。宇江作品を深く読み込んできた西世さんがガイド役になって、いくつかの作品についての質問がなされ、宇江さんがこれに答える。丁寧な取材によって、宇江さんの暮らす熊野の美しい山里が紹介され、宇江さん自身による作品解説が続く。

そして幼い頃、両親が炭焼きとして働いた炭窯の跡を訪れる。ここは今や周囲が樹木に覆われているが、炭窯跡はしっかりと残っている。さらに、かつて暮らした川や谷へと案内される。自宅近くにある樹齢八〇〇年の野中の一方杉（いっぽうすぎ）の巨木の根元に立つ宇江さん。この老杉は明治末期の神社合祀によって伐採の危機にさらされたが、民俗学者の南方熊楠らの尽力により保存された。初冬の美しい熊野の自然がなおも映し出される。最後に、すでに刊行されている宇江さんの八冊の「民俗伝奇小説集」が、表紙の写真、目次の写真のカットを織りまぜながら紹介されていく。

まさに「宇江敏勝さんの山の人生　山の文学」が見事なドキュメンタリーとして構成されている、すばらしい一時間だった。

私は、宇江さんの最初の単行本『山に棲むなり——山村生活譜』（一九八三年）を出版した時を思い出した。初めてお会いし、お宅に泊めていただいた翌朝早く、まだ林道もつくられてない果無山の山頂を目指してひたすら小走りに登る。途中の山道から、多くの人々が植林の作業をしているのが見える。雨のなか、山頂に着き、反対の高野山側から登って来る宇江さんの同人誌の若い仲間たちを待った。本の出版の打ち合わせの前にまず、私の根性が試されているようだった。「俺の本を本当に出すのか？　本気で最後まで俺と付き合えるのか？」私ははたして、その実技試験に合格したのであろうか。なんとか、それから、四〇年近くの歳月がたっている。

放映後、視聴者からの反応は、われわれの予想を超えるものがあった。電話、ファクス、メール、郵便物などさまざまの方法で宇江さんの本の問い合わせや注文が、いまも連日続いている。

ここで何枚かのハガキをご紹介しよう。「読みやすい。熊野の遠野物語」（女性、七五歳）、「嬉しい気持で読んでいます」（女性、八三歳）、「ことば、方言を文字に表わすのがうまい」（女性）、「郷愁を覚える作品で、構成も上手でぐいぐいと引き込まれた」（男性、八四歳）、「私自身の父親を思いだしました」（女性、九〇歳）、「民俗事象やことばなど忘れかけていたものがよみがえってきました」（男性、八〇歳）、なかには、「このような作家を世に出してくれるなんて素敵な出版社です」（女性、七五歳）と応援エールもいただいた。ほんとうに嬉しいかぎりだ。

最後にご紹介するのは、神奈川県平塚市にお住まいの山岸道子さんから、宇江さんあてにくださったお手紙。山岸さん、宇江さんのご了解を得て、ここに掲載させていただく。

春の気配が嬉しい侯となりました。突然お便りさせて頂く失礼をおゆるしください。『森とわたしの歳月――熊野に生きて七十年』を拝読しました。先日偶然テレビでお話されておられるのを拝見し急ぎ、御著書を購入しました。

森の中の木や炭の香り漂うような、そして、私（S一六・八・一六生）と同年代をすごされておられ……でも私の全く触れたことのない環境ですばらしい時をすごされた、七十数年……私は最近にない感動を覚えました。自然そのものの中で呼吸され、自然に触れられ、そして読書と、御執筆……私がしたいなあ……と思いつつ、ついに望みの少しも出来てない、時間をすごされてこられたのだと羨ましく存じます。

私は満州から引き揚げて参りましたが、ずっと東京の杉並ですごしました。今より自然はありましたが、宇江さんのように木と共に呼吸しているような日々とは程遠いです。この年齢になり、夫が逝去して十年……自分にもう少し自然との交わりの日々があれば人間として〝生〟の満喫が出来たかしら……と思います。自然との中におられたので、数々読書もうけいれられ、深い思索の時ももたれたことでしょう。御家族のことも細かく愛情深く記され、御家族との絆の深さも感ぜられました。

人生を終えようとする今の私、配偶者との死別という人間にとって最も厳しい試練をうけて、震えの止まらない日々を過ごしましたがやっと少し「懐かしい思い出」になりました。残りの命ある日々をどのようにすごしたらよいか、……と思います。宇江さんの御本をもっともっと拝読し、直接の体験でなくても、自然の息吹を感じていたいと思います。

樺美智子さんの亡くなれた頃、私も友人に誘われてデモに参加し、「人々の幸せのためのデモ」中に……デモへの参加で命を落とされるなんて、と不思議な気持ちで涙しました。

私は今、心臓も悪く、仕事はしていますが、長く歩くこともできませんが、私の友人で本格的登山をされている方が、是非宇江さんのこの本を読みたいとの事なので、御貸しします。知らない素晴しい世界を有難うございました。御自愛ください。

山岸道子

宇江敏勝　様

[2019. 2. 23]

文芸同人誌『ＶＩＫＩＮＧ』と宇江敏勝さん

いよいよ、来週末（二〇二〇年一一月）には、宇江敏勝さんの新刊が出る。二〇一一年から、一年に一冊、一〇年をかけ、こつこつと刊行してきた「宇江敏勝　民俗伝奇小説集シリーズ」。ついにシリーズ一〇冊が完結するのだ。その最終巻が『狸の腹鼓』だ。編集と校正は第一巻から第七巻の『熊野木遣節』（二〇一七年）までは室野井洋子さん（二〇一七年急逝）がずっと担当した。彼女は新宿書房の最初の宇江さんの本、『山に棲むなり――山村生活譜』（一九八三年）からの「宇江番編集者」だった。宇江さんの奥さん、武子さんからいつも「村山さんはお酒を飲みに熊野に来るだけで、仕事はみんな室野井さんに丸投げや」とからかわれてきた。その室野井さん亡き後は、加納千砂子さんと川平いつ子さんのふたりが仕事を引き継いでくれた。本文組版は第二巻の『幽鬼伝』からエディマンの原島康晴さんが担当。そしてこのシリーズの装丁は鈴木一誌さんだ。

今巻には、「牛車とスペイン風邪」、「乞食」、「山神の夜太鼓」、「狸の腹鼓」の四作品が収録されている。この四作品ともすべて書き下ろしで、いずれも文芸同人誌『ＶＩＫＩＮＧ』に掲載されている。

文芸同人誌『ＶＩＫＩＮＧ』は、一九四七年一〇月に富士正晴（一九一三〜八七）らが創刊したもので、二〇二〇年一一月には第八三九号までを発行している。

「宇江敏勝　民俗伝奇小説集シリーズ」の第七巻『熊野木遺節』から投げ込んできた月報。今回の月報では、『ＶＩＫＩＮＧ』編集人の田寺敦彦（たでらあつひこ）さんにも寄稿をお願いしている。

「二〇一一年第一弾『山人伝』から中断無く毎年一冊を刊行、著者七三歳から八三歳までの執筆精励を思うと、快挙というほか言葉を知らない。拍手喝采である」と田寺さんは記し、さらに「二〇一一年から『ＶＩＫＩＮＧ』に掲載された宇江さんの作品の総頁数は一〇七四頁、四〇〇字詰原稿用紙に換算すると約三五〇〇枚である」と書く。この数字をみても、ほんとうにすさまじいまでの宇江さんの筆力である。

宇江さんの原稿は今も鉛筆の手書きだ。Ｂ４判の四〇〇字詰の原稿用紙に柔らかい鉛筆と消しゴム。宇江さんはよく言う。「書く時間より消す時間の方が長い」。これを田寺さんがパソコンで入力して初校ゲラを出す。そして同人誌掲載。毎年、シリーズの編集開始にあたって新宿書房は、田寺さんから雑誌掲載のテキストをいただき、あらためて原稿整理をしなおす。そして編集部校正（三校から四校）、著者校正（再校まで）を経て校了、印刷製本へと向かう。掲載時の原題が変わることもあり、ルビも増やし、編注も加わる。同時に宇江さん、鈴木さんとの相談で、装丁に使う写真・図版探しの仕事も加わる。

田寺さんが管理されている『ＶＩＫＩＮＧ』のデータベースはほんとうによくできている。これをみると、「宇江敏勝」は一九五九年（昭和三四）二月の第一〇三号から二〇二〇年一〇月の第八三八号まで一五〇本の小説・詩・雑記などを寄稿していることがわかる。しかし、これは「同人・宇江敏勝」の記録であって、「維持会員・宇江敏勝」の分は含まれていない。このデータベースをさらに調べると、第九〇号（一九五八・一「夜道・狸・疲労」）、第九一号（一九五八・二「狸」）、第九二号（一九五八・三「しける日」）そして第九四号（一九五八・五「炭焼きの子」）にそれぞれ寄稿していることがわかった。これらの作品名のなかに「狸」の字が二度も出るのが面白い。

港町の神戸にあった海文堂書店。ここで行われたブックフェア『『VIKING』の乗船者たち』のパンフから、創刊号の「あとがき」やヴァイキング号の「乗船者名簿」を見ることができる。今回あたらためて田寺さんに宇江さんの正確な同人歴を教えていただいた。それによると、「一〇九号～一二二号（再乗船）一五〇号～現在」だそうだ。つまり、宇江さんは一九五九年（昭和三四）九月、ヴァイキング号に同人として乗船している。宇江さん、二二歳の時だ。

かつて『VIKING』の主、作家の富士正晴に「宇江は、教養がないのが取りえやな」と言われたそうだ。このことは、宇江さんが何回もエッセイに書いている。とても気に入っている言葉なのだ。月に一度、山から下りて神戸の街で開かれる『VIKING』の合評の例会に参加する。たぶん、その時に富士正晴が声をかけてくれたのだろう。その言葉には、皮肉とは違う不思議な温かみがあったという。同人誌の仲間といえば、大学教員や会社員、都会暮らしのインテリばかり。あの乗船者名簿をみれば、大変なメンバーだ。二十代の宇江さんから見れば、居並ぶ彼らは巨峰のようなインテリ。しかし、頭でっかちな、地に足のついていない人士たちでもある。教養だけならまるで勝ち目がない。「山を誰より知っている君なら、小説でなくとも、暮らしをありのまま描ける」と後押しをしてくれたのだ。そこで「そうだ。僕は現代の教養が届かない世界を書く」と肝に銘じたという。「野のひと」「野の思考」の「山びと」作家の誕生だ。

宇江さんが広く世の中に知られるようになったのは中公新書の『山びとの記——木の国　果無山脈』（一九八〇年、現在は新宿書房「宇江敏勝の本　第二期」の第二巻に増補されて収録されている。残念ながら現在品切）を刊行してからだ。同書の「あとがき」を見ると、宇江さんは『VIKING』の同人先輩である福田紀一（一九三〇〜二〇一五）さんの熱心な推薦によってこの新書を書く機会をもつことができたと記している。担当の編集者、宮一穂（みやかずほ）さんは、本シリーズの八巻『呪い釘』の月報に『山びとの記』四〇年」と題する文章で、この新書誕生の舞台裏を書いている。

宮さんが宇江さんに最初に会ったのは一九七九年六月一二日、大阪だそうだ。そこに同席した福田さんは中公新書の『おやじの国史とむすこの日本史』をその二年前に出していた。

そしてわずか半年後、一九八〇年一月一八日、紀伊田辺駅近くの旅館で原稿をもらう。鉛筆書きの書き下ろし原稿、五五〇枚だった。そして、一九八〇年六月二五日には全国の書店に『山びとの記』が並ぶ。なんと一年と一〇日で本ができたのだ。当時宇江さんは四二歳だ。若々しいが、遅咲きのデビューだ。わたしといえば一〇年いた出版社をやめ、どこに向かうか思案している時、この本で宇江敏勝という作家の存在を知った。
帯の文句は宮さんの作。表九字三行、裏一一字一八行はすぐに書けたという。
さあ、これから、ヴァイキング号の乗船客、宇江さんはどこに向かうのだろうか。

[2020. 11. 14]

付記

『山びとの記——木の国　果無山脈』は、しばらく品切れ状態が続いてきたが、新宿書房版を親本(おやほん)とした、山と溪谷社のヤマケイ文庫版が二〇二一年九月に発売された。「解説」には、宇江敏勝さんの民俗伝奇小説第八巻『呪い釘』（二〇一八年）の月報に掲載された元中公新書編集者の宮一穂さんの文章が、そのまま再録された。『山びとの記』が誕生して四一年目、あらたな旅立ちである。

山の作家が歩いてきた道

本日（二〇二〇年一一月二〇日）、宇江さんの新刊『狸の腹鼓』の見本三〇部ができ上がってきた。一〇年をかけてとうとう完結だ。この「民俗伝奇小説シリーズ」の第一弾『山人伝』が刊行されたのが、二〇一一年六月、そうあの東日本大震災の［3・11］から三ヶ月後のことだ。宇江さん、ほんとうにご苦労様でした。八三歳をすぎていまなお現役、熊野在住の山の作家の最新刊は、すべて書き下ろしの四作品を収録している。

四作のあらすじを書きたいところだが、ネタバレになる恐れがあるのでやめておこう。ただこの四作品をあわせて読むと、まさに「熊野百年物語」となる。

そして七巻の『熊野木遺節』から恒例となった付録の月報が今巻にも投げ込まれている。今回の執筆者は、田寺敦彦、桐村英一郎、佐々木康彦の各氏に、著者の宇江敏勝さんの四人。どうぞお楽しみに。

宇江さんが著作活動を始めたのが二一歳の一九五八年（昭和三三）のことだろうか。それからの六〇年、宇江さんが歩いてきた道がこの「民俗伝奇小説シリーズ」を創り出してきたのだ。

簡単な「宇江敏勝年譜」を書き出してみた。

一九三七年（昭和一二）　三重県北牟婁郡尾鷲町（現尾鷲市）九鬼（くき）に炭焼き職人の子として生まれる。

一九四三年（昭和一八）　さまざまな山中の炭焼き小屋に住んだ後、和歌山県西牟婁郡近野（ちかの）村（現田辺市中辺路町）大字野中長井地区にあった沖平に父親が家を建てる。

一九五〇年（昭和二五）　近野中学校に入学。

一九五三年（昭和二八）　西牟婁郡上富田（かみとんだ）町の県立熊野高校（普通科）に入学。寄宿舎生活をする。両親は県道沿いの中古の家を買って山を下りて移住、衣料品店を営むが、うまくいかず炭焼き生活に戻る。経済的な理由で一年間休学。

一九五七年（昭和三二）　高校卒業後、田辺市の地方新聞社の見習記者になるが数ヶ月で辞め、再び山に戻り、林業の現場で働き始める。

一九五八年（昭和三三）　近野森林組合青年作業班に入り、植林作業に従事。

一九五九年（昭和三四）　富士正晴主宰の文芸同人誌『ＶＩＫＩＮＧ（ヴァイキング）』（神戸）

に正式に加わり、詩や雑文を投稿する。

一九七一年（昭和四六）『VIKING』二三九号（一九七〇年一一月）に掲載された「牧歌は途絶えた」が『文学界』（文藝春秋）四月号に転載される。

一九八〇年（昭和五五）『山びとの記』（中公新書）刊行。林業労働者としての現役は引退し、執筆活動に専念する。

さて、私が宇江さんと手紙のやりとりを始めたのが、一九八二年の一月あたりだろうか。そして初めて中辺路のお宅に行ったのが、五月の連休だ。このことは、今回の月報に田寺さんがお書きになっている。また、新宿書房の最初の宇江さんの本、『山に棲むなり――山村生活譜』の「新芽の日記」の章にも私の名前も登場する。当時、月刊雑誌『望星』（東海教育研究所）において、宇江さんは「山あいの煙り――山村生活譜」を連載していた。中公新書『山びとの記』ですっかり宇江ファンになった私は『望星』の編集部に行って、この連載がまだどの出版社からも単行本になる話がないことを確認し、さらに宇江宅の住所までも教えてもらったのだ。それが『山に棲むなり』となる。

以下、新宿書房の宇江本の出版史を整理してみる。

一九八三年（昭和五八）『山に棲むなり』＊装丁＝吉田カツヨ（＊は「宇江敏勝の本　全一二巻」

に収録されている作品。なお各本のサブタイトルは省略した）
一九八四年（昭和五九）『山の木のひとりごと』＊（A5判変型）装丁＝吉田カツヨ
一九八八年（昭和六三）『炭焼日記』＊装丁＝田村義也
一九八九年（平成元）『木の国紀聞』装丁＝田村義也
一九九五年（平成七）『樹木と生きる』＊装丁＝吉田カツヨ（『山の木のひとりごと』を四六判にし、かつ改題）
一九九六年（平成八）『森をゆく旅』宇江敏勝の本第1期①装丁＝田村義也
『炭焼日記』宇江敏勝の本第1期②
一九九八年（平成一〇）『山びとの動物誌』宇江敏勝の本第1期③
二〇〇〇年（平成一二）『森の語り部』装丁＝田村義也
二〇〇一年（平成一三）『山に棲むなり』宇江敏勝の本第1期④
『樹木と生きる』宇江敏勝の本第1期⑤
『若葉は萌えて』宇江敏勝の本第1期⑥
二〇〇四年（平成一六）『熊野修験の森』宇江敏勝の本第2期①装丁＝桂川潤
『世界遺産―熊野古道』装丁＝吉田カツヨ
二〇〇六年（平成一八）『山びとの記』宇江敏勝の本第2期②
『森のめぐみ』宇江敏勝の本第2期③

二〇〇七年（平成一九）『熊野川』宇江敏勝の本第2期④
二〇〇八年（平成二〇）『森とわたしの歳月』宇江敏勝の本第2期⑤
二〇〇九年（平成二一）『山河微笑』宇江敏勝の本第2期⑥
二〇一一年（平成二三）『山人伝』宇江敏勝　民俗伝奇小説集①　装丁＝鈴木一誌
二〇一二年（平成二四）『幽鬼伝』宇江敏勝　民俗伝奇小説集②
二〇一三年（平成二五）『鹿笛』宇江敏勝　民俗伝奇小説集③
二〇一四年（平成二六）『鬼の哭く山』宇江敏勝　民俗伝奇小説集④
二〇一五年（平成二七）『黄金色の夜』宇江敏勝　民俗伝奇小説集⑤
二〇一六年（平成二八）『流れ施餓鬼』宇江敏勝　民俗伝奇小説集⑥
二〇一七年（平成二九）『熊野木遣節』宇江敏勝　民俗伝奇小説集⑦
二〇一八年（平成三〇）『呪い釘』宇江敏勝　民俗伝奇小説集⑧
二〇一九年（令和元）『牛鬼の滝』宇江敏勝　民俗伝奇小説集⑨
二〇二〇年（令和二）『狸の腹鼓』宇江敏勝　民俗伝奇小説集⑩

新宿書房の宇江本の出版史をみても、宇江さんがノンフィクションから文学へと大きく舵を切ってきたことがよくわかる。

『ＶＩＫＩＮＧ』でのデビューは一九五八年（昭和三三）。当初宇江さんは、詩や小説を目指していた。『ＶＩＫＩＮＧ』に発表した長編小説が東京の大手出版社の文芸雑誌に載ったこともあった。そしてある日、同人誌の主宰者・富士正晴に声をかけられる。その後のことは前回のコラムで紹介した。ノンフィクションの宇江ワールドの道が始まり、一九八〇年の『山びとの記』の大ヒットでそれは決定的となった。それから、三〇年。熊野の山、日本の山も大きく変わり（荒れ）、山人（山びと）の暮らしが消え、それを記録することがいまや難しくなったのだろう。里人になった宇江さんは、自分の体に残る記憶・記録を駆使して、山の文学の再創造への道をあらたに歩み出したのだと思う。それが、この「民俗伝奇小説集」の始まりだ。

「民俗伝奇小説集」の既刊本から、『怪異十三』（三津田信三編、原書房、二〇一八年）に収録されている作品がある。それは第一巻『山人伝』に収録されている「蟇（ひき）」（初出＝『ＶＩＫＩＮＧ』第二五九号、一九七二年七月）だ。その「蟇」が「ほんとうにぞっとした話」一三篇のひとつに選ばれのだ。同書での三津田さんの「蟇」への解説がとてもいい。以下引用する。

> （前略）宇江の著作は大きく二つに分かれる。一つは自叙伝『山びとの記――木の国　果無山脈』（一九八〇）のように、自らの体験と知識に基づいて山人たちの労働と生活を記録した、民俗学的資料価値が極めて高い本で、もう一つが彼の強みを活かして書かれた民俗伝奇小説になる。

参考文献という意味では、僕は前者に興味を覚えた。だが個人的により惹かれたのは、何と言っても後者である。奥深い山村や河川を舞台に、民俗色が豊かな怪奇的または幻想的な世界が展開される一連の作品は、これまでに『山人伝』『幽鬼伝』『鹿笛』『鬼の哭く山』『黄金色の夜』『流れ施餓鬼』『熊野木遣節』と纏められてきた。そこでは山中に潜む魔物や妖怪が、当たり前のように顔を出す。仮に同じ題材を他の作家が扱っても、こうは上手く表現できない。この特有の妖しさは、宇江作品ならではだろう。

そういった怪奇と幻想を描きながらも、身体の不自由な少女の一生、一つの村や峠の茶屋の栄枯盛衰、伝馬船の船頭や猟師や筏師や炭焼き男の生活、善根宿や山の郵便配達夫や栗の壺杓子屋の仕事などを、宇江は叙情的に活写する。作品によっては、ほとんど怪異が顔を覗かせない場合もある。とはいえ少しも不満を感じないのは、お話の面白さ故だろう。

そして取り上げた「墓」について、こう解説する。

そんな宇江作品の中で、一番短いにも拘らず圧倒的に怖かったのが、本作になる。岡本綺堂の怪談に通じる戦慄に、一読して僕は震え上がった。やっぱり〈本物〉ほど恐ろしいものはないのである。

［2020. 11. 21］

百年の物語・森の奥からかすかに響く音——そして、山びこ学校と大逆事件

宇江敏勝さんの新刊『狸の腹鼓』が発売された。事前予約された読者の中には、すでにもう読み終わっている方もいらっしゃるかもしれない。

「牛車とスペイン風邪」、「乞食」、「山神の夜太鼓」、そして最後の長編、表題作の「狸の腹鼓」の四作品。本書の作品構成は、一〇〇年という時間の中に、スペイン風邪、戦後の山村生活風景、そして明治政府の弾圧によって犠牲となった若者の声がかすかに響いてくる山の谷間での六〇年前の青春譜、これらすべてを包み込んだ、いわば熊野の山村の「百年の物語」と言っていいだろう。

さて最後の作品「狸の腹鼓」のなかから印象に残る二つの事柄を取り上げてみよう。

それは、『山びこ学校』という本のことと、大逆事件で死刑になった成石（なるいし）平四郎のことだ。どちらも主人公の藤江隆和が中学生だった時の担任教師から学んだ事柄だ。作中で大逆事件にふれるところでは、担任の杉中浩一郎という名前も出てくる。そうなのだ、宇江さんの中学校の恩師、杉中浩一郎（一九二二〜二〇一九）さんなのだ。郷土雑誌『熊野誌』第六五号では、宇江さんが杉中先生への追悼文を書いている。先日、宇江さんにこの文章について聞いたところ、これは地元紙『紀伊

民報』の二〇一九年三月一六日号に寄せた追悼文の再録であると言われ、すぐに新聞記事のコピーが郵送されてきた。

この追悼文から、少し引用してみよう。まず、『山びこ学校』のことだ。

先生は慶應義塾大学から学徒出陣で兵役に就き、東南アジアの各地で転戦の後、昭和二一（一九四六）年に帰還された。しばらく自宅で赤痢やマラリアの後遺症の治療をされた後、昭和二五（一九五〇）年に近野中学校の新任教師となり、私たち六期生五十余人の担任をされた。国語と英語を教わったが、いろんな本を幅広く読むようにもすすめられた。無着成恭の『山びこ学校』を読み聞かされ、作文を書いた。

二一歳の新任教師の無着成恭（むちゃくせいきょう）（一九二七〜）が山形県南村山郡山元村（やまもと）（現上山市（かみのやま））立山元中学校に赴任したのは一九四八年（昭和二三）四月だった。無着は一年生四三名の担任になった。この四三名と無着がクラス文集の『きかんしゃ』の第一号を出したのは、翌年の一九四九年七月のことだった。生徒たちは手をインクで真っ黒にしながら、ガリ版（謄写版）刷りの第一号七〇冊を作った。無着と生徒の分の四四冊をのぞき、残り二六冊は学校の同僚や知人、中央の知識人そして『少年少女の広場』（新世界社）などの児童雑誌編集部に送った。そのうちの一冊は東京にいる国分一太郎（こくぶんいちたろう）（一九一一〜一九八五。戦前の山形での生活綴方運動の実践者。無着の山形師範の先輩）のもとにも送られていた。

この文集『きかんしゃ』は四三人の生徒が山元中学を卒業する一九五一年三月まで、合計一四号が発行された。この『きかんしゃ』のなかの詩や作文などが抜粋されて編まれたものが、ベストセラーとなる『山びこ学校――山形県山元村中学校生徒の生活記録』（青銅社、一九五一年）なのである。

実は『山びこ学校』が出版される前から、この文集『きかんしゃ』のことは教育関係者の間ですでに広く評判を呼んでいた。『きかんしゃ』に載った、江口江一の「母の死と其の後」は、中央のさまざまな出版物に紹介されて、児童文学者や国語教師の間に強い衝撃を与えていた。そして江口の「母の死と其の後」は一九五〇年一一月、日教組作文コンクールで文部大臣賞を受賞した。

杉中浩一郎が近野中学校の新任教師として赴任して、宇江敏勝たち新入生五三名の担任になったのが、一九五〇年の四月のことだ。杉中は、この時すでに教育界で話題になっていた文集『きかんしゃ』のことを知っていたにちがいない。同じ二十代の青年教師として無着に注目していたはずだ。そして、山形と紀伊熊野と地域の違いはあれ、同じ山村でのきわめて貧しい暮らしは同じだ。主人公の藤江隆和（宇江）は、『山びこ学校』のなかの、「すみ山」（石井敏雄）、「すみやき日記」（佐藤藤三郎）などの作文を、どのような気持ちで読んだのだろうか。そして小説のなかで、作者（宇江）はある高校生に江口江一の「母の死と其の後」を読ませている。

『山びこ学校』にはこんな詩もあった。

山

佐藤清之助

私は
学校よりも
山がすきです。

それでも
字が読めないと困ります。

宇江さんの杉中先生追悼文から、大逆事件についてふれた部分に戻ろう。

大逆事件の成石平四郎について教室で話されたこともあった。政府により当時の社会主義者が弾圧され、紀南地方でも大石誠之助と成石平四郎が処刑された出来事である。のちになって「成石平四郎の生涯」(『熊野誌』)を発表されるが、この頃に調査研究をされていたのである。ようやく近年になって大石誠之助等の名誉が回復されたことを思えば、運動の先駆者ともいえるのではないか。先生の反戦平和主義の思想は、私たち生徒にもよく伝わってきた。社会や政治に対する批判は的確で鋭く、とくに権力者に対しては厳しかった。

大逆事件（幸徳事件）では、幸徳秋水以下二四名が死刑判決を受け、一九一一年（明治四四）にこのうちの一二名が絞首刑にされた。死刑判決を受けた二四名のうち、なんと六名が熊野人だった。その六人のうち、大石誠之助（新宮町）と成石平四郎（請川村）のふたりが死刑となったのだ。『狸の腹鼓』のなかで、藤江隆和は森村季美子に、谷の沢の水を見ながら、いまも請川村で小さな雑貨屋を営む、成石平四郎の妹、とみのことを話す。そして、いつかふたりでそのとみさんに会いに行こうと約束しあう。

民俗伝奇小説集の最終巻『狸の腹鼓』は著者・宇江敏勝さんから、恩師・杉中浩一郎先生に捧げる本だ。その献辞の言葉が本書のどこかに刻まれているにちがいない。

[2020. 12. 5]

街を歩く　新村、千歳……

宇江敏勝さんも仲間である文芸同人誌『VIKING』、この最新号八四二号が送られてきた。この目次を見て、驚き、そしてうれしかったことがあった。なんと、日高由仁(ひだかゆに)さんの長編小説「川辺の家へ」（二）が掲載されているではないか。

『VIKING』事務局のデータベースによれば、日高さんの前回の寄稿は、一九九二年八月の五〇〇号だから、実に二九年ぶりの登場になる。まさに「日高さん復活！」（八四二号「編集後記・次号予告」より）だ。長編小説「川辺の家へ」は全三五八枚もあるそうで、今回はそのうちの七五枚だそうだ（八四二号、同前）。

新宿書房が日高由仁さんの著書、『新村(シンチョン)スケッチブック――ソウルの学生街から』を出版したのは、一九八九年三月のことだ。これは、シリーズ《双書・アジアの村から町から》の第八冊目（造本＝中垣信夫＋島田隆）となる。当時は珍しかった女性の日韓同時通訳者の著者が、一九八一年春から八七年秋までの六年半、ソウルの学生街「新村」で暮らした留学記である。地下鉄の「新村駅」から延世大学までのおよそ五〇〇メートルの間に密集する安い飲み屋、市場、銭湯、下宿屋……。ここを舞台に繰り広げられた密な日常生活の記録だ。日高さんの新村滞在が始まる一九八一年の前年の五月にはあの光州事件が起き、同年九月には全斗煥が大統領に就任している。また新村を離れた八七年の翌年の秋には、ソウルオリンピックが開催されている。同書の一二章のうちの九章までは『VIKING』の四三五号（一九八七年三月）から四四八号（一九八八年四月）にかけて掲載された。その出版から三二年、ほんとうにご無沙汰してしまった。日高さんのお名前が、『VIKING』の同人名簿から維持会員名簿に移っていたことは知っていたが、日韓同時通訳者としていまも元気に活躍されていると思っていた。

本作品「川辺の家へ」は、スミコという主人公の独白から始まる。前に住んでいた家で雪掻きをしていた際に転んで手首を折り、腰も痛めて病院に入院。そこを退院して市営団地に移る。そして、いまホームに入所するために荷物を片付け、担当の職員二人と団地の部屋でお迎えの車を待っている。季節は花見も近い、春本番だ。

そして、舞台は一転、スミコの少女時代に切り替わる。場所は千歳（ちとせ）、ここには駐留米軍の「キャンプ千歳」があった。父と兄のまあちゃんの三人が家族だ。朝鮮戦争は前年（一九五〇年六月）から始まっていた。小学校二年生の時、米軍キャンプは一気に膨れ上がる。「オクラホマ景気」と呼ばれ、滑走路拡張工事のために集まった労務者の飯場ができ、ツレコミや酒場街は瞬く間に、基地近くから町の中心に向かってどんどん広がっていく。朝鮮半島に出動した米軍部隊を補充するため、オクラホマ州で急遽一五週間の訓練を受けた若者たち一万二〇〇〇名が、「オクラホマ州兵第45師団」としてこの千歳キャンプにやってきた。千歳の町の人口は当時二万人だったという。父親は小学校四年生になるまでこの米軍キャンプで働いていた。連載の第一回目は、この喧騒な米軍キャンプとなった時代の真っ只中で終わる。さて、次回はどんな展開か、楽しみである。

長見義三（おさみぎぞう）（一九〇八〜九四）という作家がいる。昭和一〇年代、『早稲田文学』の旗手として活躍し、第一創作集『姫鱒』（砂子屋書房、一九三九年）で第九回芥川賞（昭和一四年上半期）の候補となった。新宿書房では、長見さんの著書を二冊出版している。息子さんの写真家・長見有方（ありかた）さんとの縁である。

その二冊は『色丹島記』（一九九八年）、『水仙』（一九九九年）で、装丁はいずれも田村義也だ。長見さんは戦後、文学を離れる。『水仙』に収録されている横川敏晃の解説によると、長見さんと米軍基地との関わりは、次にようになる。

一九四五年一〇月　米軍千歳基地「キャンプ千歳」の通訳に　三七歳
一九四九年一一月　退職　四一歳
一九五二年　復職　四四歳
一九七一年　退職　六三歳

長見さんは敗戦後早くから「キャンプ千歳」の通訳として働いていたのだ。日高さん（スミコ）の父親とおなじ、米軍キャンプで働いていたわけだ。長見さんが退職、復職を繰り返したのは、文学への夢を断ち切れなかったからだろう。しかし、一九七〇年、最後まで残っていた米軍の通信所（「クマ・ステーション」の愛称）が閉鎖され、軍人七三名、軍属一五名、職員八五名を残して在日米軍部隊の大半がここ千歳から撤退することになって、長見さんも正式に退職した。『水仙』には、未発表作品の「ケール中尉とともに」（一二〇枚）が収録されている。執筆は一九四八年か四九年と推定され（前掲、横川）、この米軍基地「キャンプ千歳」での体験をもとにした作品である。

宇江敏勝さんに電話した。「ＶＩＫＩＮＧに日高由仁さんの小説が載りましたね！」。実は宇江さんの紹介があって、あの『新村（シンチョン）スケッチブック――ソウルの学生街から』が生まれたのだ。

宇江さんは言う。

「そうだね。実は先日、日高さんからハガキをもらったんだ。『狸の腹鼓』を読んだそうだ」

［2021.2.11］

小さな美術館、未来へ

サーカス博覧会が丸木美術館にやって来た

1　サーカス博覧会が丸木美術館にやって来た

四月二日（二〇一八年）、朝早く起きてパル（ラブラドール・リトリバー、もうすぐ一三歳）と散歩。朝飯抜きで西武新宿線の鷺ノ宮から急行に乗る。田無から各駅となって終点の本川越に。この時間帯、都心と反対方向なのに通勤客が意外と多い。本川越から東武東上線の川越まで歩き、小川町行に乗り換えて、東松山に着いたのは午前八時半過ぎ。構内の喫茶店でモーニング。そこから市内循環バスに乗る。降りる時、運転手さんに右手の道を真っすぐ行けといわれ、その通りにトボトボ歩くこと一五分。流通倉庫が並び、プレハブのユニットハウスが野積みされた先に、目指す「原爆の図丸木美術館」があった。

本日から「サーカス博覧会」が開催！　Circus came to Maruki Gallery!　開場九時を三〇分過ぎて、来場者は私が第一号。一階会場の奥では、学芸員の岡村幸宣（ゆきのり）さん、この博覧会の仕掛け人・後藤秀聖（しゅうせい）さんのふたりが、釘やトンカチなどを使って展示設営の真っ最中。チラシや絵葉書をコーナーシールで押さえ、ガラスケースに収める。開催初日を迎えても、まだ作業は終わっていないようだ。しばらくして、展示協力者のひとり、大道芸人の上島敏昭さんも来館。音や映像の準備もまだ終わらない。しかし、大きなサーカス絵看板が展示されているメインの部屋からはもう、タンカ、呼び込みのダミ声や観客の歓声、動物たちの鳴き声が聞こえてくるようだ。

展示は全四幕構成になっていた。

「サーカス博覧会 Circus came to Maruki Gallery!」（原爆の図丸木美術館／二〇一九年四月二日～五月二六日）の記録集が博覧会の終了後の同年一一月に刊行された。発行はサーカス博覧会実行委員会（原爆の図丸木美術館・ポレポレタイムス社・新宿書房）で、編集は後藤秀聖（編集長）、村山恒夫、小島伸枝、峯岸右蘭、小原佐和子、加納千砂子ほか。判型はA4判で中綴じ、オールカラー四〇頁。

この記録集には「サーカス博覧会」の出品物の中から、絵葉書、ポスター、チラシ、絵看板、写真アルバムなど、およそ一〇〇点あまりの写真が収録され、さらに関係者四人の方の寄稿文が掲載されている。

目次を紹介しよう。

◆はじめに

◆展覧会
・第一幕　日本のサーカス
・第二幕　タカマチの見世物小屋、女相撲からサーカスへ
・第三幕　本橋成一の記録した韓国のサーカス
・第四幕　絵本のなかのサーカス（丸木俊『ぶらんこのり』、スズキコージ『ぼくのピエロ――跳べイカロスの翼』）
◆寄稿文
・「サーカス博覧会」顛末記（上島敏昭／浅草雑芸団）：石丸謙二郎、都築響一のギャラリートーク、浅草雑芸団による大道芸、澤田正太郎のサーカス画、津崎雲山、志村静峯のサーカス・見世物絵看板など
・「展覧会の曲芸」（岡村幸宣／原爆の図丸木美術館学芸員）：リングリング博物館ほか
・「安田興行社の絵看板とカルロス山崎さんのこと」（鵜飼正樹／京都文教大学教授・見世物学会会長）：安田里美、安田春子、カルロス山崎著『オール見世物』、女相撲関連資料ほか
・「韓国サーカス研究からみた　本橋成一写真集『サーカスが来る日』」（林史樹）
◆出品リスト

昼近くなっても、展示作業は続く。ふたりの仕事が一段落したら、近くの蕎麦屋に行って昼飯に

しようと、上島さんと私は先に外に出る。美術館の下を都幾川が流れる。東西に広がる川原を見下ろすベンチに座り、しばらく彼らを待つ。そのうち、上島さんはやおら横笛を吹き始める。大道芸の練習なのだろうか。桜の花の下、風と笛の音の合奏が始まる。

蕎麦屋で岡村さんから聞いた話だと東松山駅、森林公園駅（一九七一年に開業）、つきのわ駅（二〇〇二年に開業）の南に広がる（丸木美術館から見ると北に広がる）大地には、戦時中に飛行場が建設されたという。首都防空のため、関東各地に陸軍の航空基地が建設された。一九四五年（昭和二〇）一月には「関東松山飛行場」（地元の方は「唐子（からこ）飛行場」と呼んでいるとのこと）建設のため、東武東上線の武州松山（現・東松山）～武蔵嵐山（らんざん）の区間は飛行場を迂回し、大きく北にカーブしている。結局、この関東松山飛行場は完成を見ずに敗戦を迎えた。

この日の午後、丸木美術館にはテレビ埼玉の取材が入り、『朝日新聞』の関東版の夕刊には「サーカス博覧会」の小さな紹介記事が出た。

[2019. 4. 5]

[2019. 11. 1]

2　サーカス博の丸木美術館へ

四月二〇日に、ふたたび「原爆の図丸木美術館」へ。この日、最初の関連イベントがあるのだ。最寄りの停留所「丸木美術館東」のある市内循環バスは、日祝は運休！だって。タクシー乗り場で相乗り客がいないか探したが、誰もいない。丸木に着いたのは二時を過ぎていた。すでに俳優・石丸謙二郎さんのトークは始まっていた。石丸さんが二一歳の頃、一九七八年から八〇年にかけて、関根サーカスでピエロのアルバイトをしていたお話だ。サーカス小屋の寝小屋での暮らし、サーカスでの日常が身振り手振り、実に巧みに語られる。関根サーカスのピエロのアルバイト仲間に、キタロー、斉木しげる、長谷川康夫がいたというのも興味深い。

さてようやく、この展覧会の「出品リスト」が完成、連休中の来館者のみなさまには、お配りできるはず。石丸謙二郎さんからは、「関根大サーカス」のポスター（一九八〇年代）をお借りし、展示している。

五月一八日のお昼すぎ、東武東上線東松山駅改札口に知り合いを誘って集合。七人が二台のタクシーに分乗して「原爆の図丸木美術館」へ向かう。眼下の都幾川の川原を覆う緑が前回よりもさらに美しくなっている。ダイコンの花だろうか、紫色の海が広がっている。本日は開催中の企画展「サーカス博覧会」の二回目で最後のイベントデーだ。

奥の「サーカス博覧会」の会場に入ると、すでに上島敏昭（浅草雑芸団代表）さんの口上が始まっている。本日のイベントの演目はふたつ。第一部は上島敏昭さんによる大道芸、第二部は写真家・圏外編集者・ジャーナリストの都築響一さんのギャラリートークだ。

二階そして一階手前の部屋には《原爆の図》シリーズ作品が展示されている。奥のスペースが「サーカス博覧会」の会場だ。入り口にはＢ４判二つ折り四頁の「出品リスト」が置いてある。第一幕から第三幕までの九二点、第四幕（これだけは二階）の絵本原画三五点、合計一二七点である。

観客は七〇人を超えていた。主な来客者を紹介すると、まず鵜飼正樹さん。展示では鵜飼さんの所蔵品が最も多い。この日、関西から東松山に出てこられた。鵜飼さんは大学教授だが、見世物学会の会長でもある。新宿書房からは、執念の著作『見世物稼業——安田里美一代記』（二〇〇〇年）を出版。そうなんです、今回の安田興行社の絵看板は鵜飼さんの所蔵品なのである。そして編著（鵜飼正樹＋北村皆雄＋上島敏昭）には『見世物小屋の文化誌』（一九九九年）がある。同書には、カルロス山崎さんの「見世物絵看板師列伝」が収録されている。山崎さんは見世物文化研究家で、見世物小屋の絵看板写真を集めた『オール見世物』（珍奇世界社、一九九七年）を出版している。カルロスさんが亡くなった後に、コレクションの一部を都築さんが引き取った。今回のサーカス博覧会にはそのいくつかが展示されている。鵜飼正樹さんは都築さんのトークの後に挨拶をされる。

ポレポレタイムス社の社主で、写真家・本橋成一さんは、弟子の写真家の小原佐和子さんと一緒に来場。小原さんは今回の展覧会の第三幕「本橋成一の記録した韓国のサーカス」のプリントを担当している。サーカス博覧会のきっかけになった「本橋成一資料コレクション」については、見世物学会・学会誌『見世物七号』（新宿書房、二〇一八年）をご参照ください。画家で見世物学会事務局員の後藤秀聖さんが、二〇一八年に本橋さんから「サーカス資料」を譲り受けたことから、今回の展覧会構想が動き始めた。見世物学会からは、後藤さんの他に、飴細工師の坂入尚文（さかいりひさふみ）さん（総務局長）、美術家の真島直子さん（事務局員）が出席。

洋画家・澤田正太郎のサーカス風景作品を提供してくださった沢田滋野さんのお顔も見える。澤田正太郎は新国劇の創立者、澤田正二郎（澤正、一八九二〜一九二九）の長男。

旧知の組版職人・編集者の前田年昭さんが、詩人の筏丸けいこさんを連れて来てくれた。筏丸さんはフラミンゴ社という個人出版社をお持ちで、『人間ポンプ――ひょいとでてきたカワリダマ園部志郎の俺の場合は内臓だから』（二〇一七年）という本を執筆・出版されている。もうひとりの人間ポンプ、園部志郎とその芸に浅草の路上で偶然出会ってから、八年間にわたりインタビューを続けてきた。同書はそれをまとめたもの。フラミンゴ社は東松山近くの坂戸にあるという。実は鵜飼さんの『見世物稼業』にも「ライバル意識　園部志郎」という文章（三〇八〜三〇九頁）がある。そして、この安田と園部、同じ年（一九二三）に生まれ、同じ年（一九九五）に亡くなっている。

都築さんのトークでのネタを二つ紹介しよう。一つは、都築さんが松崎二郎・覚兄弟から引き取った「性器蠟人形」のことだ。この松崎二郎さんの「秘密の蠟人形館」にくっついて三年間あまり「見世物小屋の旅」をした人がいる。彼は東京芸大の彫刻科を中退、いまは飴細工師として全国の高市（祭礼）を廻っている。前述の坂入尚文さんだ。「秘密の蠟人形館」の旅を、坂入さんはご自分の本『間道――見世物とテキヤの領域』（新宿書房、二〇〇六年）の中で、見事に活写している。名著である。ぜひお読みいただきたい。

もう一つのトークは、文藝春秋の雑誌『TITLE』（創刊二〇〇〇年五月〜終刊二〇〇八年四月）の連載で、都築さんがアメリカ五〇州の秘宝館を取材した話だ。都築さんはフロリダにある「リングリング博物館」も訪れている。トークの司会「原爆の図丸木美術館」の学芸員の岡村幸宣さんが驚いたように、なんと《原爆の図》もそのリングリング博物館に展示されたことがあると言う。一九七〇年から七一年にかけて、《原爆の図》の最初のアメリカ巡回展があったのだ（岡村著『《原爆の図》全国巡回 占領下、100万人が観た！』二三九〜二四〇頁、新宿書房、二〇一五年）。当時、アメリカ留学帰りの若き政治学者・袖井林二郎（一九三二〜）とアメリカのクエーカー教徒たちの協力で、ニューヨークのニュースクール・アートセンターを皮切りに全米八ヶ所（最後のカンザス州ウィチタ美術館は場内改装という理由で中止）で巡回展が行われている。しかし、なぜこのサーカスの殿堂で《原爆の図》展が開かれたのかは、岡村さんもよくわからないという。

なお、リングリング博物館の母体となるサーカス会社、「リングリング・ブラザース・アンド・バーナム・ベイリー・カンパニー」は、たび重なる動物愛護団体からの動物の芸についての批判を受け、象のショーを中止した後、経営が急速に悪化。ついに二〇一七年五月の公演を最後にサーカス興行を中止し、約一五〇年の歴史の幕を降ろした。

トークも終わり、何人かで森林公園駅前の「やきとり屋」（焼き鳥屋ではない）に行った。東松山名物の「やきとり」は豚のカシラ肉を炭火でしっかり焼いたものに、辛味の効いた「みそだれ」をつける。なんでも日本三大やきとり（東松山、室蘭、今治）の一つだそうだ。市内には一〇〇軒を超えるやきとり屋さんがあるとか。

太平洋戦争末期に吉見百穴の地下に軍需工場建設の突貫工事が行われ、三〇〇〇人を超える朝鮮人労働者が日本各地から集められた。その彼らの置き土産だと言う。

［2019. 5. 24］

3　サーカス博閉幕

四月二日から始まった「サーカス博覧会」が五月二六日で閉幕した。今回のサーカス博は画家・後藤秀聖さんの大奮闘により開催できたことを、まずここに特筆大書しないといけない。期間中の関連イベント、四月二一日の石丸謙二郎さんの講演、五月一八日の上島敏昭さんの大道芸と都築響一さんのギャラリートークも好評裡に終わった。

サーカス・見世物小屋の資料と《原爆の図》の組み合わせ。これはどう受け取られたのだろうか。私の友人（男）は先日、このようなメールを寄こした。

前から行きたい、行きたいと思っていた場所。遠いこともあり、なかなかチャンスがなかったんです。ようやく、このサーカス博覧会のお陰で丸木美術館を訪れることが出来ました。チラシを見てサーカスの音楽に引かれるように東松山まで行きました。喧騒の中のサーカスの天幕や見世物小屋。そんな遠い記憶の中にあった絵看板が、色あせて、静寂の中、まるで荘厳な宗教画のように堂々と屹立している。さまざまな絵看板が天井近くの高さから展示されている。しかし、耳を澄ますと、それぞれの絵看板は小さく低い音だが、間違いなくお互いに声を交わしている。その声と声を聞きながら、二階に上がってみる。なんとそこにはあの《原爆の図》のシリーズが展示されているではありませんか。さらに一階のサーカス博の手前の部屋にも《焼津》などの作品も展示されていたのだ。上からそして横からこれらの《原爆の図》の放す強い磁場に囲まれた空間に、あのサーカスの絵看板があったのです。もう一度サーカス博の部屋に戻りました。ふたつがほんとうに不思議に融合しています。《原爆の図》はこれを見たものが語り出す絵、さまざまな物語に抱かれた絵、と言われている。サーカスの絵看板が放す低い声は、《原爆の図》に向かって話している声に違いない。丸木夫妻が描いた絵を見ながらトボトボと歩く民衆。彼らが話し声と足音を残して、サーカスの天幕の中に消えていく。まさに喧騒と静寂が交差する空間を創り出しています。《原爆の図》が戦後占領下の日本で全国巡回し一〇〇万人を超える人びとが観たという話は、サーカスの巡業、見世物興行の世界と近いなと思いました。

これを読んで、私はこの企画展は成功したなと思った。

[2019. 5. 31]

美術館学芸員の仕事

先月終了した「サーカス博覧会」の会場は埼玉県東松山市にある「原爆の図丸木美術館」だった。ここのただひとりの学芸員、岡村幸宣さんは、二〇〇一年にこの美術館で働き始めてから、丸木位里・丸木俊夫妻が残した《原爆の図》の展示・巡回、社会と芸術表現の関わりについての研究、そしてさまざまな企画展の交渉などを精力的に行ってきた。特に、《原爆の図》が誕生した後に行われた全国巡回の軌跡（一九五〇〜五三年）についての研究は、一冊の本となり、二〇一五年一〇月に、『《原爆の図》全国巡回——占領下、１００万人が観た！』（装丁＝鈴木一誌＋山川昌悟）として、小社から刊行された。同書は二〇一六年度の第二二回「平和・協同ジャーナリスト基金賞」奨励賞を受賞した。

まだ終わらない本、これから始まる本——平和・協同ジャーナリスト基金賞奨励賞受賞報告

小さな、小さな賞だが、とても大切な賞をいただいた。二〇一六年一二月一〇日の昼下がり、東

京・日比谷の日本記者クラブで「平和・協同ジャーナリスト基金賞贈呈式」があり、岡村幸宣さんが同基金賞の奨励賞を受賞された。奨励賞の対象となったのが、著書『《原爆の図》全国巡回——占領下、１００万人が観た！』である。

私の手もとに書きなぐった文字が並ぶ出版製作の記録ノートがある。これを見ると、本の企画のことで岡村さんから最初のメールをいただいたのが、二〇一四年の一一月となっている。以前から岡村家のリトルマガジン『小さな雑誌』の愛読者であった私が、二〇一三年（七月〜九月）に丸木美術館で開催された「坑夫・山本作兵衛の生きた時代〜戦前・戦時の炭坑をめぐる視覚表現」展に行き、岡村さんに初めて声をかけてからのお付き合いだった。このメールから翌二〇一五年一〇月末に本書の見本ができるまでの、ほぼ一年間は、実にハードな製作期間だったと言えよう。

というのは、一五年の春から岡村さんは「原爆の図アメリカ展」（六月〜一二月）の打ち合わせ、搬入そして撤収で、なんと一年間で七回もアメリカ出張をしている。これらの出張の合間を縫って編集校正を繰り返し、二〇〇点を超える本文写真、詳細の年表と地図も収録した同書の出版までにこぎつけた。まさに元野球少年・岡村さんの若さと体力でこの本は産み出されたわけである。

最初に見せていただいた第一稿は《原爆の図》の技法的な解読や丸木夫妻の評伝にも目配りした内容だった。私自身は美術専門の編集者でもないし、新宿書房も得意の分野ではない。しかし、言論統制下の占領期に、蜂起や一揆のように日本列島を燎原の火のごとく広がる全国巡回展の熱気、ふたりの青年が《原爆の図》の入った木箱を背負って巡回展の流れ旅を敢行する話に私はたちまち魅了され、岡村さんには、テーマを「《原爆の図》巡回」に絞り、一般向けの本にしましょうと提案した。

岡村さんは長年にわたって、《原爆の図》の誕生の経緯と巡回展の記録を調べてきた。その間に二つの重要な出来事があった。一つは二〇〇八年一月に丸木夫妻の旧アトリエ兼書斎・小高文庫から謄写版刷（ガリ版刷）の「原爆の図三部作展覧会記録」（一九五〇年〜五一年夏までの記録）が発見されたこと。もう一つは、二〇〇九年一一月に目黒区美術館で開催された「“文化”資源としての〈炭鉱〉」展で一枚の写真（一九五二年一月二七日〜二八日北海道の美唄炭鉱で開催された「綜合原爆展」の会場入口前に並んだ沼東小学校の子供たち）に出会ったことである。

岡村さんはすぐに同美術館の正木基学芸員（当時）に会い、この写真の持ち主、美唄市の郷土史家の白戸仁康さんを紹介してもらう。この二つの出会いは《原爆の図》巡回展の歴史の空白を埋める大きな手がかりになった。

書籍出版の仕事で最後に悩むのは書名である。「占領下と《原爆の図》」「旅する《原爆の図》」「君は《原爆の図》を観たか?」「占領下、１００万人が観た!」これらのキャッチ・コピーは、サブタイトル、帯やカバーに残っているが、実はすべて、落選した書名ネーミングなのだ。

本書が《原爆の図》の全国巡回展の実態解明の大きな手がかりになり、一九五〇年代の社会文化研究のための、まだ終わらない本、いやこれから始まる本、の一冊になったことは、まちがいない。

『原爆の図丸木美術館ニュース』第一二八号、二〇一七年一月。一部加筆、訂正
[2019. 6. 29]

小さな美術館から未来へ、走る

いま原爆の図丸木美術館の学芸員・岡村幸宣さんの本を作っている。『《原爆の図》全国巡回』（二〇一五年）についで、新宿書房にとっては二冊目の岡村さんの本だ。タイトルは『未来へ――原爆の図丸木美術館学芸員作業日誌 2011-2016』だ。

昨年（二〇一八年）から本の企画が立ち上がり、今年の四月から製作がスタート、いま、まさに九合目、頂上まであとわずか、一一月は無理でもなんとか一二月までには出したいと思っている。著者（岡村さん）、編集者（私）、校正者（Sさん）、デザイナー（杉山さゆりさん）、だれが粘っているかはわからない。ともかく、産みの苦しみの最中である。

本書は、二〇一一年から現在までを時間軸に、二〇一一年から二〇一六年までをフォーカス、アミ伏せし、丸木美術館学芸員・岡村さんが、埼玉県東松山市にある小さな美術館（岡村さんを入れてわずか三人の職員！）の真ん中に丸木夫妻が残した「原爆の図」を置き、どのような企画展や「原爆の図」巡回（館外）展を展開してきたかを、調査・研究・交流の記録も含めて、作業日誌として構成したものだ。二〇一五年の「原爆の図」米国三都市巡回展では、岡村さんはなんと一年間で七回も渡米している。その目まぐるしい動線は日誌の月日の下に記されている地名を見てもよくわかる。また各頁の脚注の人物解説、巻末の人物索引は、一巻の『丸木×岡村・交流人名事典』にもなっていて、これをご覧になれば、文字通り東奔西走する岡村さんのフットワークをさらに理解できるにちがいない。

二〇〇一年、大学を卒業し、丸木美術館に来た当時のことを、岡村さんは本書プロローグに次のように書いている。

大学を卒業する頃、事務局長の鈴木茂美さんに、ここで働いてみないか、と声をかけられた。美術館には学芸員がいなかった。けれども、そのときは、嫌です、と断ってしまった。この美術館に学芸員の仕事が必要なのか、どうか。墓守のようにして、ただ歳月が流れてしまうのではないかと、不安だった。

それが丸木美術館にきて二〇年、若いアーティトたちとの出会いを重ねてきた岡村さんは、エピローグでは次にように書くまでになった。

「原爆の図」を知らない客層が、美術館に足を運び、丸木夫妻の仕事を再発見する。作家たちも絵と対峙することで、有形無形に影響を受けていく。(中略)それぞれの仕事に「原爆の図」の精髄が注ぎ込まれていく。

この本を編集し、二〇一一～二〇一六年に焦点をあてて、岡村さんの仕事をたどっていくと、それは岡村さん個人の仕事から、この小さな美術館を舞台に、現代美術の、いや日本社会の未来へと、小さく細い道が続いていくのが見えてくる。

そしてあらためて学芸員とは走り回る人、ランニング・キュレーターだということを納得する。実際、彼はニューヨークでもパラオでも、そして広島や東松山でも街の中を走っている。最初、本書のタイトルを『走る学芸員――丸木美術館学芸員作業日誌』を提案したところ、岡村さんからは即却下された。しかし、私はこの書名を今も大事にポケットの中にしまっている。

[2019.9.27]

美術館学芸員作業日誌、刊行

岡村幸宣著『未来へ――原爆の図丸木美術館学芸員作業日誌 2011-2016』が、三月三日に配本された。三月一一日、九年前のあの「3・11」から始まる、「日付と場所（トポス）のあるドキュメタリー・エッセイ」だ。本書のなかの「二〇一五年一〇月三〇日　川越」には、出来上がったばかりの岡村さんの著書『〈原爆の図〉全国巡回――占領下、１００万人が観た！』の見本を抱えて、お宅のある西武新宿線本川越駅まで届ける私までもが登場する。二〇一五年には「原爆の図」米国巡回展（六月〜八月：ワシントンDC、九月〜一〇月：ボストン、一一月〜一二月：ニューヨーク）が東部の三都市で展開されたという、いわば本書のハイライトとなるところで、各巡回会場への事前交渉、搬入、オープニング、撤収ごとに渡米を繰り返していた岡村さん。この真っ只中に『〈原爆の図〉全国巡回』の執筆・編集・造本作業が同時に進行していたことになる。やはり、彼はランニング・キュレーター（走る学芸員）だ。

ここで紹介するのは、埼玉県飯能市にある自由の森学園高等学校の校長、新井達也先生（当時）

が二〇一九年三月一〇日の卒業式で新卒業生に向けて話されたお祝いのスピーチだ。新井先生のこの「言葉」は、新刊『未来へ――原爆の図丸木美術館学芸員作業日誌2011-2016』の旅立ちにもふさわしい「言葉」である。新井先生のご承諾をいただいたので、再録する。

岡村さん、刊行、おめでとう。未来へ、いい旅を！　Bon voyage!

二〇一八年度　自由の森学園高等学校　卒業式　校長の言葉（注1）

卒業生のみなさん　卒業おめでとうございます。

保護者のみなさん、お子さんの卒業おめでとうございます。

そして、これまでの学園に対するご支援とご協力に感謝申し上げます。

三年前の入学式の時、私はこの会場に野菜をもってきて、埼玉県小川町の有機農業グループの化学肥料や農薬に頼らない土作り・堆肥づくりの話とつなげて、自由の森の点数や競争原理に頼らない「学び」のお話をしました。みなさん、覚えていますか？

今日はみなさんの卒業にあたって、小川町の近くの東松山市、都幾川のほとりにある小さな美術館のお話をします。

その美術館は「原爆の図丸木美術館」です。

画家の丸木位里さんと丸木俊さんご夫妻が共同で制作した「原爆の図」を展示するために開いた小さな美術館です。一昨年五〇周年を迎えたそうです。

画家同士の二人が結婚したのは一九四一年七月、アジア太平洋戦争開戦の半年前でした。その後、戦況がしだいに厳しくなり南浦和に疎開しているとき、広島に新型爆弾が落ちたことを知ります。広島出身の位里さんはすぐに広島に向かい、原爆が投下されてから三日後の八月九日に到着します。やがて俊さんも駆けつけ、二人はしばらくの間広島で過ごしたそうです。

敗戦から三年の一九四八年、二人は「原爆を描こう」と決意しました。それから三四年かけて「原爆の図」一五部作を描き上げていくのです。

これがその絵の一部です。実際はかなり大きな作品で、縦一・八メートル×横七・二メートル　屏風八枚が一つの作品です。

「人間の痛みを描く」というこの原爆の図、どの作品にもたくさんの人間が描かれています。ある作品では焼けて剥けた肌を引きずりさまよっているような人々、炎に焼かれてもだえ苦しむ人々や、多くの屍の山としての人々も描かれています。この「人間の痛み」に向き合い続けた丸木夫妻は、原爆の図だけでなく、南京、水俣、アウシュビッツ、沖縄などの絵を、その生涯をかけて描き続けました。

丸木夫妻が自らの「痛みへの想像力」を広げ深めて描いた作品の前に立つとき、私たち自身も「痛みへの想像力」をもって受けとめようとします。映像や写真、文章とまた違った形で胸に迫ってくるものを感じた人は少なからずいるのではないでしょうか。

この他者の「痛みへの想像力」、今を生きる私たちにとって最も重要な「ちから」の一つだと私は思っています。

丸木美術館で長年学芸員をされている岡村幸宣さんはその著書（注2）の中で「痛みへの想像力」について次のように綴っています。

「戦争だけでなく、かたちを変えた暴力は、いつの時代も存在します。公害や原発事故、貧困、差別、偏見…。私たちの社会は、そんな構造的な暴力の上に成り立っていると言えるでしょう。人は誰でも、自分の痛みには敏感になります。けれども他人の痛みを感じることは難しく、遠い国の人の苦しみは、忘れてしまうこともあります。だからこそ、最も弱い立場の人の痛みに、想像力を広げる必要があるのだろう、とも思います。」

現在、日本においても世界においても「自分さえよければいい」「自分の国さえよければいい」とする、利己主義、自国中心主義（自国第一主義）の風潮が広がっていると言っていいでしょう。

これは決して他人事ではありません。

全国の公立小中学校の保護者を対象に調査したところ、「経済的に豊かな家庭の子どもほど、よりよい教育を受けられるのは『当然だ』『やむをえない』と答えた人は六二・三パーセントに達した」との報道がありました。六割以上の人がこうした教育格差を容認しているとのことです。

世界を見渡しても、自国第一主義が台頭し、人権や民主主義、国際協調といった言葉が後回しにされているように思います。社会そして世界において「分断」が進んでいると言ってもいいかもしれません。

創立者の遠藤豊さんは生徒を目の前にして「自由の森学園の教育とは、自由と自立への意志を持ち、人間らしい人間として育つことを助ける教育」だと語っていました。

この「人間らしい人間」とは「痛みへの想像力」を持ち続けようとする人だと私は思っています。人間は他者の「痛みへの想像力」をもっているからこそ、人と人が支え合ったり助け合ったりしながら社会をつくってきたのだと思うからです。

丸木美術館の岡村さんはこのようにも綴っています。

「真の現実を覆い隠そうとする『現実』の皮を引き剝がし、一見変わらない光景に潜む取り返しのつかない変化を暴き出す想像力こそ、私たちに必要とされているのかもしれません。」

「痛みへの想像力」は「見えないものをみようとする力」「真実を見抜く力」へとつながっていくのだと私も思っています。

さあ、いよいよ卒業です。

今日、みなさんはこの自由の森学園から旅立ち、それぞれの道を進んでいくことになります。思い通りにいかないことや、困難なことにも出会うことがあるかもしれません。そんなときにも「痛みへの想像力」を持つ人間の可能性を信じ、また、自らも「人間らしい人間」としてあり続けるために学ぶことを続けていってほしいと思っています。

卒業おめでとう。みなさんの健闘を祈ります。

［2020. 3. 6］

注

1——新井達也先生の「言葉」は、自由の森学園ホームページ「自由の森日記」より。

2——『《原爆の図》のある美術館——丸木位里、丸木俊の世界を伝える』（岡村幸宣著、岩波ブックレット、二〇一七年）

『未来へ』が未来へ運ぶ「ことば」

岡村幸宣さんの新著、『未来へ ――原爆の図丸木美術館学芸員作業日誌 2011-2016』（以下、『未来へ』と略）が出版されたのが三月三日。コロナ禍の中での、厳しい船出だった。しかし、二月中に印刷・製本できたのは、むしろ幸運だったというべきかもしれない。これが四月、五月なら本が出せなかったかもしれない。民間の原爆の図丸木美術館も四月九日より臨時休館、ようやく六月九日に再開した。幸い本書への書評・紹介記事は途切れることなく続いている。

「折々のことば」に登場

「折々のことば」は哲学者の鷲田清一さんが、『朝日新聞』の第一面に毎日連載しているコラムである。この「折々のことば」に、『未来へ』から、二日にわたって「ことば」が引用され、本書のことも紹介された。

六月一九日の「折々のことば」

「彼らの仕事は恐怖を芸術と祈りに変える人間の力の証明です」――「原爆の図展」感想ノートから

二〇一五年六月から一二月までの「原爆の図」の米国（アメリカ）巡回展は、ワシントンDC、ボストン（ボストン大学ストーンギャラリー）、ニューヨーク（パイオニア・ワークス）の三都市で行われた。「原爆の図」は、米国の首都では初めて展示されたのだ。今回三会場に出品された「原爆の図」は、第一部《幽霊》、第二部《火》、第一〇部《署名》、第一二部《とうろう流し》、第一三部《米軍捕虜の死》、第一四部《からす》の六作品だった。この米国巡回展での作業日誌は、いわば本書『未来へ』の中でのハイライトにあたる部分だ。

引用された先の「ことば」は、巡回展の最初の展示が行われたワシントンDCにあるアメリカン大学美術館での「広島・長崎原爆展 HIROSHIMA-NAGASAKI ATOMIC BOMB EXHIBISHON」、その会場内に置かれた「感想ノート」に記されていたものである。

学芸員の岡村さんは展示の初日に歩行器を使って歩く白髪の老人が、第一三部の《米兵捕虜の死》の前に歩み寄り、崩れように座り込むのを見る。そこに日本のメディアがいっせいに彼を取り囲んで原爆投下について質問を投げかける。「私たちもこの絵のようになるかもしれなかった。日本は中国で何をしたのか」その老人は苛立つようにそう答えた。翌日、大学の会場に行くと、昨夜は憔悴して帰宅したであろうあの老人がなんと再び会場にあらわれ、時間をかけてじっくりと絵を観てまわっているではないか。あとで、彼が九四歳の退役軍人で、広島に原爆を投下したB29が飛び立ったテニアン島に勤務していた元通信兵だったことを知る。

一九四五年八月六日午前八時一五分、マリアナ諸島のテニアン島から飛来したB29(機名は「エノラ・ゲイ」といい、これは機長の母親の名前だそうだ)は広島上空で原爆(「リトルボーイ」)を投下した。それから七〇年がたった。この米国巡回展は二〇一一年から準備してきてようやく実現したものであった。

実は「原爆の図」の米国巡回展は二〇一五年のこの巡回展がはじめてのことではなかった。いままでの歩みを整理すると以下のようになる(『未来へ』、『《原爆の図》全国巡回』、図録『原爆の図 丸木位里と丸木俊の芸術』『サーカス博覧会 記録集』を参照した)。

＊一九五〇年 最初の米国(アメリカ)展計画案が浮上。控えの三部作の再制作版の制作を進める。羽田飛行場に搬入直前にキャンセルして、中止。

＊一九七〇年一〇月〜七一年二月「原爆の図米国巡回展」アメリカ八ヶ所に巡回展、うち一ヶ所は中止。この中の会場には、フロリダ州のサーカス関係を専門に収集・保存しているリングリング博物館も含まれていた。袖井(そでい)林二郎やクエーカー教徒が巡回展の実現に尽力する(本書二八二頁参照)。丸木夫妻も渡米。当時の『ニューヨーク・タイムズ』は、「程度の悪い美術品よりもっと悪い。ある目的をもってつくられた芸術作品は、作者が真剣だか

らとか、意図が立派だからとか、主題が重要だからということで、正当化されるわけにはいかない」と酷評した。出品は第一〜八部。第一三部の《米兵捕虜の死》が制作されたのは、この米国巡回展が終わった後である。

＊一九八八年三月〜四月「マサチューセッツ芸術大学展」出品は第一、四、七、一三部。

＊一九九五年九月「マカレスタ・カレッジ（マカレスター大学）展」（ミネソタ州セントポール市）出品は第八、一三部。同展には高齢の丸木夫妻に代わってヨシダ・ヨシエが帯同。丸木位里はヨシダが帰国後の一〇月一九日に亡くなる。

このような米国巡回展の前史をうけて、二〇一五年の巡回展が行われた。戦勝国、原爆投下国の米国での「原爆の図」の前には、依然としてまだ大きな壁がある。しかし、時代は確実に移り変わってきている。今回の巡回展は、早川与志子をはじめ、キャサリン・サリヴァン、平田道正、ピーター・カズニックらの協力なしには実現しなかった。そしていまもなお原爆投下を正当とする意見が根強いと言われる米国で、「原爆の図」はどう受けとめられたのか。好意的な反応だけでなく、批判もあった。それを知りたくて、会場のあった感想ノートをめくり、この「ことば」に出会う。

六月二〇日の「折々のことば」

かたちのきれいな松ぼっくりだけ選んじゃだめよ。かたちの良くないのだって、面白いん

だから。みんな同じ松ぼっくりなんだって、——万年山えつ子

万年山えつ子さんは、丸木俊さんにそうおそわった。川越在住の画家、万年山さんは、俊さんが亡くなった翌年の二〇〇一年から一〇年間の毎月、丸木美術館で工作教室を開いてきた。二〇一二年一二月八日のこの日、この工作教室が最終回を迎えた。工作の材料は毎回、万年山さんが用意してくる。松ぼっくり、コルク、箪笥の取っ手、車のホイール、貝殻、下駄、足袋、潰れた空缶……。みな廃品だった。これらを再利用して命を吹き込む。そして壁掛けやオブジェが生まれた。

万年山さんは言う。「ぺしゃんこに潰れた空き缶だって、ジュースを飲んで道に捨てた人と、車のタイヤで轢いた人、それから拾って工作する人の、コラボレーションでしょう」。そして「人が選ぶことの不遜をふと思う」という、この鷲田清一のコメントは重い。二〇一三年一月二六日から二月二三日には、この工作教室を振り返る「丸木美術館クラブ・工作教室の一〇年展」が開かれている。

万年山さんは、自宅の隣家で心の病を抱えた人のために自浄アトリエ「カルディア会」(カルディアはギリシャ語で心を意味する)を開いている。丸木美術館では、二〇〇四年一一月から翌年二月まで「心(カルディア)の出会い展　万年山えつ子と仲間たち、そして出会った人々」が開かれた。

学芸員の岡村の家族も万年山さんに助けられたことがあった。結婚して最初の子が生まれた頃、家計も苦しかった。万年山さんは毎週のように玄関先にペットボトルにつめたカレーや買いすぎた

という食材などを持ってきてくれた。岡村家は何とか暮らしていけるようになったから、万年山さん、今は別な人を助けているはずだ。

本書『未来へ』には四〇〇人近い人名が人名索引、脚注事典として収録されている。しかし、その何百倍、何千倍にもなる有名・無名な人々が「原爆の図」の前を通り過ぎ、それぞれの「ことば」を紡いで本書の中に収めている。それらを読むことによって、未来の命を救う道をたどる旅に向かう。

[2020. 6. 27]

「いま、これをやらないと後悔するから」——村山恒夫さんのこと

黒川 創

村山恒夫さんを初めて新宿書房に訪ねたのは、たしか一九八三年秋のことである。当時、新宿書房は、靖国通りに面する九段南の小ぎれいなビルの一室に入っていた。私は、郷里の京都で、地元の大学卒業を半年後に控えた大学四年生だった。

ぼんやりしているうちに、就職試験の受付期間はすでにおおむね過ぎていた。かといって、大学院に本気で進みたいとも思えないのだ。いっそ、この機会に東京へ居を移し、新しい天地で、ものを書くことで身を立てるすべを模索できないかと、漠然と考えた。

当時、社会学者の日高六郎さんが、東大教授を辞職して、京都の短期大学で教えておられた。そのころ、よくお宅にお邪魔する機会があったので、相談すると、「東京で、この人たちを訪ねてみなさい」と何人かの名前を挙げてくださった。その一人が村山さ

んだった。「彼（村山）は、平凡社の百科事典の編集部で一〇年ほど働いて、会社側からの評価も高かった。だけど、三〇代のうちに独立して、自分で出したい本をつくりたい、という気持ちが強かった。上司から引き留められていたけど、『いま、これをやらないと後悔するから』と無理を言って退職させてもらって、親父さんが興した出版社を一人で引き継ぐところから始めたんだ」

といった人物評を話してくださったことを覚えている。――又聞きながら、進退を考えるに際して、「いま、これをやらないと後悔するから」、このような処し方があるのだということが、二二歳の私の印象に残っていた。

翌春、私は、東京に転居した。以来、新宿書房に出入りして仕事をすることがたびたびあった。私のほうから、こういうことをやってみたらどうだろう……と、持ちかけることが多かったと思う。村山さんは、そのたび、たいがい、「じゃあ、やってみようよ」と応じてくれたように覚えている。肯定的なタイプの編集者なのである。これは、私に対するときに限らず、ともに働く編集者やスタッフたちに対しても、同様の態度の持ち主なのだと感じる場面がたびたびあった。

たとえば、私が新宿書房に出入りしはじめたころ、そこには、村山さんのほか、二〇代の女性編集者が二人、清楚ないでたちで勤務していた。そのうちの一人が、本書で幾度か言及される室野井洋子さんである。

しばらくするうち、室野井さんから、舞踏、ダンスのワークショップに参加している、という話を聞くようになった。村山さんも協力的で、「いま、彼女は休暇を取って、このワークショップに行っているんだ」とチラシを見せてくれたりした。いよいよ室野井さんが自身の舞踏公演などの取り組みを深めると、常勤の編集者という勤務スタイルから、嘱託の編集者という働き方に変わった。企画ごとに約束を交わして、編集、校閲などを請け負う、というやりかただったのだと思う。本書でも述べられているように、宇江敏勝さんの著作は、それからも年々、彼女が担当した。また、私が関わる本も、室野井さんに加わってもらうことが多かった。

こういった出版社の仕事の流儀は、最初から計画されたものとして進んでいくわけではない。むしろ、そのときそのときの人材の状況、また、経済事情などにぶつかりながら、出版社は自身の「からだ」の仕組みを変えていく。

誰と組んでの仕事がしやすいか？　まず、このことも重要だ。村山さんは、緻密な仕事ぶりの室野井さんと、息の合うところがあった。一方、小さな出版社にとっては、社員の生活全体を丸抱えにするような雇用形態が、間尺に合わない時代になりつつあった。つまり、小規模な出版社とスタッフたちが、互いに、ある程度の自立性と身軽さを保ちつつ、生きのびていくことはできるだろうか？　こうしたことは、双方で試行錯誤しながら、工夫を重ねてみるしかない。新宿書房は、さらに社屋を移すにつれて、嘱託スタッフあり、独立したフリーランサーとして机一つを置いている人もありと、いわば蜂の巣状の共同作業場の観も増していく。こうした舵取りにも、他者に肯定的に向きあう村山さんの資質が生きていたのではないかと感じている。

一方、こんなこともあった。

バブル景気がはじけて、一九九〇年代中盤、出版業界の業績不振はいよいよ深まって、三〇代なかばのフリーライターだった私も、とうとう食い詰めた。ものを書くことだけで生活を維持するのが厳しくなって、村山さんに「校正か何か、ぼくにできそうな仕事を回してもらえませんか」と、頼んだことがある。

すると、予期せぬ答えが返ってきた。

「あなたは、せっかく、いままで筆一本でやってきたんだから、それをやめないほうがいい。新宿書房の編集顧問として、毎月一〇万円を支給するから、ときどき出版企画のアイデアを出してくれないか」

食い詰めている当方としては、ありがたくお言葉に甘えるほかはない。だが、新宿書房だって、経営が楽なわけがない。ひと月、ふた月と、「顧問料」が振り込まれるにつれ、心苦しさが増してくる。だから、つい私は、「顧問料」をいただく期間を、かねて温めてきた大型企画の編集・刊行準備に充てることにしませんか、と提案する。それは、私が編者を担う『〈外地〉の日本語文学選』全三巻という企画で、およそ、こんなアイデアに立つものだった。

――日清戦争の終結（一八九五年）から大東亜戦争の敗北（一九四五年）までの五〇年間、近代の日本は、アジア・太平洋の諸地域に植民地的な支配の拡大を続けた。そこでは、現地住民に日本語の使用を強いもした。それによって、こうした地域（とりわけ台湾、朝鮮）では、現地作家が日本語で創作した作品が、数多く残る。また、日本人作家が、これらの地域に滞在して創作することも多かった。

現在（一九九〇年代）、旧植民地を舞台にした日本語作品は、日本の近代文学史からほとんど無視され、忘れ去られるに至っている。これらが、日本という近代国家による施政の〝負の遺産〟の側面を帯びることは確かである。だが、それだけだろうか？　作家自身の視野に立つなら、強いられた言語を用いながらも、そこでの政治体制に同調しきらず、みずからの思索と独創を深めていく道筋も、文学にはなお残っていたのではないかと思える。こうした作品を掘り起こし、これから未来の読者が出会いなおせる状態にしておきたい。――

村山さんは、これについても、「いいじゃない、ぜひやろうよ」と応じてくれた。さらには、「もうじき新宿書房の創立一五年だから（最初に手がけた田村紀雄『明治両毛の山鳴り』〔一九八一年〕から数えてのことだろう）、その記念企画ということにしよう」とも言った。

　とはいえ、いざ実際の作業に入ると、簡単な仕事ではないことがすぐにわかった。手つかずにされてきた領域が多いだけに、目を通すべき資料、収録したいと思うような作品も、次つぎに増えていく。そのつど、各巻に見込んだページ数、予算総額も増えていく。解説、解題、注記……と、時間に追われながら私は執筆していくのだが、ゲラが出るたび、さらに加筆、修正を施すべきことが山ほどある。編集実務を担当していた室野井さんも、そのたび徹夜の作業が強いられていたはずである。一方、村山さんは、資金的にも、いっそう不安な日々を過ごすことになっただろう。

　つまり、顧みれば、私は、余計な提案をしたのかもしれないのだ。経営面から考えれば、こんな厄介な企画になど手を出さず、黙って私に「顧問料」を振り込むほうが、まだしも新宿書房の傷口は小さく済んだかもしれない。だが、そういうことは口に出さずに、われわれは、ただ、いま目の前にある、するべきことに取り組んでいた。

　たしかに、これは、やっておけてよかった仕事だと、いまでも私は思っている。それについては、村山さんも、室野井さんも、異なるところはなかったのではないか。

　ただし、出版社の経営上の判断としては、いかなる条件で、それに踏み切れるのか、という条件はなお残る。出版という業界では、マーケッティング・リサーチという経営判断上の手法はほとんど用いられることがない。それは、こうした手法に頼ると、大半の企画で「リスクが高すぎる」という否定的な判断しか下せなくなってしまうからだろう。だから、要するに最後は、人生の選択それ自体といっしょで、「いま、これをやらないと後悔するから」、それしかないのかもしれないのだ。

出版とは、そういう仕事である。こう言うと、いささか野蛮に過ぎるかもしれない。だが、それを抜きに、われわれには、この仕事に取り組みつづける、どんな理由があっただろうか？

（作家）

あとがき

村山恒夫

新宿書房のホームページにあるオンライン・リトル・マガジン「百人社通信」に、それぞれ事務所があった場所の名前を冠したコラムを書き継いできた。「三栄町路地裏だより」（新宿区四谷三栄町・二〇〇一〜〇六年）、「俎板橋だより」（千代田区九段北・二〇一三〜二一年）、「しらさぎだより」（中野区白鷺・二〇二一年〜）である。しかし、途中に七年、三年、二年と長く休んだ期間もある。本書に収録されているのは、前二つのコラムや新聞や雑誌に書いたものである。

ところで、気ままに思いつくままに書いてきたコラムを集めて果たして一冊の本になるのだろうかと、小出版社の当人としても心配にもなる。これはまた編集者としてのわたしの、正直な不安だった。

今年の春のある日、「たいへん遅くなりました」と港の人の上野さんが分類・整理し、プリントした原稿が届いた。そしてすぐに初校ゲラの出校がこれに続く。八つの章に分けられているではないか。見事な編集（原稿でない）である。

本書収録の「編集単行本主義」の中で、松本昌次さんが語っている。「集め本といってバカにしてはいけない。著作の断片を組みたてて、構成、演出をすることこそ、編集のダイゴ味なんです。モザイクのように組みたてて、……」これを上野さんが、わがコラムを使って実際にやってくれたのだ。

さらに、松本さんは「結果的に、著者も予想しなかった広がりのある本が生まれる」と言う。もし読者の方にそのように感じていただけるようなことがあるならば、それはまさしく上野さんの編集力のおかげである。

それに上野さんは、書名にもこだわった。『新宿書房往来記』とは、気恥ずかしいかぎりである。同時に私にとっては、なんだか晴れがましい書名でもある。しかし、私は本書の中で、本というものは、周縁（マージナル）や「路上（オン・ザ・ロード）」の往来から生まれることを、さまざまな経験を書き記すことで、読者に伝えたかったので、いまはこの書名をとても気にいっている。

本書の誕生するまでたくさんの方の力添えがあった。作家の黒川創さんから、祝電のようなうれしい寄稿文をいただいた。ありがとうございました。

次に、本の町・神保町にウロウロいる、小出版社の菜食ならぬ「妻食主義者」のひとりである私は、深く深くこうべを垂れて、わが妻にお礼を申しあげないといけない。さらにこの三年あまり、毎週書きなぐってきたコラムを最初に辛抱強く読みそして編集してくれた同僚の加納千砂子さん。そして、この『新宿書房往来記』の著者校正の段階で、徹底的にファクトチェックをしてくれ、サポートしてくれた塩田敦士さん。このふたりに感謝をします。

そして、こんな幸運な機会を与えてくださった「港の人」の上野勇治・井上有紀ご夫妻に心よりお礼を申し上げたい。そして、素敵な本にしてくださいました装丁の長田年伸さん、装画のニアさんにも感謝します。「装丁・造本という仕事は、編集者の仕事の中でその最後の仕上げである」という先人の言葉をあらためて思い出す。

最後にひとこと。これから出版編集を目指す人たちが、「本をつくるということ」「出版とはなにか」「編集とはなにか」……というテーマを探す中で、本書に出会い、多少でも興味をもって読んでくれたら、こんなうれしいことはない。

二〇二一年九月

新宿書房刊行書籍一覧

1970–2020

凡例

一、項目はつぎのとおりである。
書名　編著訳者／体裁／頁数／装丁者／本体価格
なお、書名の副題は省略した。
一、新宿書房が発行元でない書籍は省略した。

1970年

ふるさと飛騨　早船ちよ著／四六判上製函入り／三六八頁／八五〇円

ノミはなぜはねる　佐々学著／四六判上製／二八八頁／九〇〇円

上野誠　平和版画集　原爆の長崎　上野誠著／B4判並製・上製函入り／八二頁／装丁　岩崎久代／一三〇〇円（並製）・三〇〇〇円（上製）

1971年

ベトナムの伝統　斎藤玄著／四六判上製／三二〇頁／九〇〇円

現代文学者の病蹟　春原千秋、梶谷哲男著／四六判上製／三二〇頁／八〇〇円

1974年

SEXOLOGY　石浜淳美編著／A5判上製函入り／五一六頁／四九〇〇円

市川房枝自伝　戦前編　市川房枝著／四六判上製函入り／六二六頁／装丁　中垣信夫／二〇〇〇円

1975年

映画の旅　村山英治著／四六判並製函入り／三二二頁／装丁　中垣信夫／一二〇〇円

山内みな自伝　山内みな著／四六判上製／二八八頁／装丁　中垣信夫／一二〇〇円

1977年

熱帯への郷愁　佐々学著／四六判上製／二四〇頁／装丁　中垣信夫／一二〇〇円

性教育学入門　村松博雄、岡本一彦著／A5判上製函入り／四一二頁／装丁　中垣信夫／四七〇〇円

Animals of medical importance in the Nansei

Islands in Japan（南西諸島の医動物）　佐々学ほか編／B5判上製函入り／四一〇頁／装丁　中垣信夫／九八〇〇円

1978年

アジアの疾病　佐々学著／A5判上製／二七二頁／装丁　中垣信夫／一八〇〇円

1979年

だいこんの花　市川房枝著／四六判上製／三〇四頁／装丁　中垣信夫／一二〇〇円

インフルエンザ　福見秀雄著／A5判上製／二一六頁／装丁　中垣信夫／一九〇〇円

舶来メダカによる蚊の駆除　大久保新也ほか編著／A5判上製／一五〇頁／一〇〇〇円

1980年

ストップ・ザ・汚職議員！　市川房枝編／B6判並製／二〇八頁／装丁　中垣信夫／七〇〇円

1981年

明治両毛の山鳴り　田村紀雄著／A5判上製／三二〇頁／装丁　田村義也／二八〇〇円／百人社

アホウドリの人生不案内　阿奈井文彦著／四六判上製／二六六頁／装丁　中垣信夫／一四〇〇円／百人社

野中の一本杉　市川房枝著／四六判上製／三二八頁／装丁　中垣信夫／一四〇〇円

1982年

【生活のなかの料理】学　江原恵著／A5判並製／二二〇頁／装丁　杉浦康平＋谷村彰彦／一八〇〇円／百人社

如月小春戯曲集　如月小春著／四六判上製／一九六頁／装丁　赤崎正一／一三〇〇円

市川房枝というひと　「市川房枝というひと」刊行会編／四六判上製／四三四頁／装丁　中垣信夫／二〇〇〇円

風の自叙伝　野本三吉著／四六判上製／二八八頁／装丁　田村義也／一六〇〇円

日没国物語　原秀雄著／四六判変型上製／六〇八頁／装

丁　たむらしげる／二六〇〇円

雑想小舎から　遠藤ケイ（絵と文）／A5判変型上製／二二六頁／装丁　吉田カツヨ／一六〇〇円

虚霊　立木鷹志著／菊判上製函入り／六五六頁／装丁　中垣信夫／三二〇〇円

1983年

工場物語　如月小春著／四六判上製／一八〇頁／装丁　赤崎正一／一五〇〇円

海女たちの四季　田仲のよ著、加藤雅毅編／A5判変型上製／二五六頁／装丁　三田栄／一八〇〇円

私の半自叙伝　蘆原英了著／四六判上製／二九二頁／装丁　田村義也／一八〇〇円

風通しよいように　矢川澄子著／四六判上製／二四六頁／装丁　渡辺逸郎／一六〇〇円

旅行者＋駐在員のための熱帯病の予防　ロス熱帯衛生研究所編著、石井明訳／新書判／一六〇頁／装丁　中垣信夫＋早瀬芳文／一三〇〇円

わが町・浦安　小林トミ著／A5判変型上製／二一二頁／装丁　田村義也／一六〇〇円

わがマンロー伝　桑原千代子著／四六判上製／三五二頁／装丁　中垣信夫＋早瀬芳文／一七〇〇円

それを言うとマウンターヤの言いすぎだ　マウンターヤ著、田辺寿夫訳／四六判上製／二二四頁／装丁　中垣信夫／一六〇〇円

山に棲むなり　宇江敏勝著／A5判変型上製／二一六頁／装丁　吉田カツヨ／一七四八円

1984年

はたけ　羽生槙子著／A5判変型上製／一〇二頁／装丁　渡辺逸郎／一三〇〇円

労働組合を大衆の手に　稲垣栄三著／四六判上製／三六四頁／装丁　吉田カツヨ／一八〇〇円

日没国物語（上下巻函入り）　原秀雄著／四六判変型並製／六一〇頁／装丁　たむらしげる／三〇〇〇円

大地のうた　ビブティブション・ボンドパッダエ著、林良久訳／四六判上製／三五二頁／装丁　中垣信夫＋早瀬芳文／二〇〇〇円

懐旧録　十津川移民　森秀太郎著、森巌編／四六判上製／三〇四頁／装丁　田村義也／二三〇〇円

ことばの旅　斎藤たま著／A5判変型上製／二二八頁／装丁　吉田カツヨ／一七〇〇円

サーカス研究　蘆原英了著／四六判上製／一八四頁／装丁　田村義也／二四〇〇円

山の木のひとりごと　宇江敏勝著／A5判変型上製／二二八頁／装丁　吉田カツヨ／一六四八円

息子とアメリカとオートバイ　遠藤ケイ（絵と文）／A5判変型上製／二二四頁／装丁　吉田カツヨ／一六〇〇円

1985年

岩魚と老人　山田政次著／四六判上製／二五四頁／一六〇〇円

海とにんげん　入浜権運動推進全国連絡会議編／四六判並製／一七六頁／装丁　長野ヒデ子／一五〇〇円

シャンソンの手帖　蘆原英了著／四六判上製／二六四頁／装丁　田村義也／二〇〇〇円

[写真集]　**ある日**　道岸勝一著／B5判並製／六四頁／装丁　野路健／一〇〇〇円

パシコムおじさん　G・M・スダルタ著、村井吉敬訳／A5判変型並製／四五二頁／装丁　中垣信夫＋早瀬芳文／二〇〇〇円

ガリ版文化史　田村紀雄、志村章子編著／四六判上製／二七二頁／装丁　標卓造／一九〇〇円

風の自叙伝（増補新版）　野本三吉著／四六判上製／二八八頁／装丁　田村義也／一九四二円

覚書・戦後の市川房枝　児玉勝子著／四六判上製／三一四頁／装丁　中垣信夫＋早瀬芳文／二二〇〇円

生とものの け　斎藤たま著／四六判上製／二二四頁／装丁　伊藤昭／一八〇〇円

クロウサギの棲む島　鈴木博著／A5判変型上製／二二八頁／装丁　鈴木一誌／一八〇〇円

縄文杉の木蔭にて　山尾三省著／A5判変型上製／二二二頁／装丁　鈴木一誌／一七〇〇円

DOLL　如月小春著／四六判並製／一八四頁／装丁　赤崎正一／九八〇円

1986年

踊る日記　森繁哉著／四六判変型上製／二八〇頁／装丁　杉浦康平＋谷村彰彦／二〇〇〇円

夜の甲羅　福田裕成著／四六判上製／二〇四頁／装丁　鈴木一誌／一六〇〇円

ウッディ・フォレストの雨の山と林道歩きが好きだ
ウッディ・フォレスト著／B5判変型上製／二二四頁／装丁　鈴木一誌／一八〇〇円

大草原の夢　村山英治著／四六判上製／三九二頁／装丁　吉田カツヨ／二〇〇〇円

舞踊と身体　蘆原英了著／四六判上製／三五二頁／装丁　田村義也／二八〇〇円

ぼくたちのちんどん屋日記　林幸次郎、赤江真理子著／四六判並製／二四〇頁／装丁　吉田カツヨ／一四〇〇円

エフェメラ伝説　川村毅著／四六判上製／二九六頁／装丁　赤崎正一／二〇〇〇円

サルウィン河の筏乗り　ルドゥウーフラ著、河東田静雄訳／四六判上製／二一六頁／装丁　中垣信夫＋早瀬芳文／二〇〇〇円

メイド・イン・ジャパン　スラチャイ・ジャンティマトーン著、荘司和子訳／四六判上製／二四八頁／装丁　スズキコージ／一八〇〇円

死とものの け　斎藤たま著／四六判上製／三二〇頁／装丁　伊藤昭／二二〇〇円

幻想の街・那覇　牧港篤三著／A5判変型上製／一八〇頁／装丁　長友啓典＋K2／一七〇〇円

1987年

最新奴隷図鑑　坂島真琴著／A5判上製／五二頁／一二〇〇円

生きがいと教育　佐藤元著／四六判上製／二四八頁／装丁　鈴木一誌＋箕浦卓／一八〇〇円

フラメンコハンドブック'88　パセオ編集部／A5判上製／二二四頁／一八〇〇円

兎をめぐる十二の物語　唐十郎、如月小春、白石かずこ、松岡正剛ほか著／菊判上製／二七二頁／装丁　鈴木一誌＋箕浦卓／二三〇〇円

ツイテナイ日本人　藤田傳著／四六判上製／四七二頁／二二〇〇円

フリークス　川村毅著／四六判上製／一一二頁／装丁　赤崎正一／一四〇〇円

MORAL モラル　如月小春著／四六判上製／二三二

頁／装丁　赤崎正一／一六〇〇円

育てられた心　沼舘正尾著、村田修子編／四六判上製／二一六頁／装丁　中垣信夫＋奥りゑ／一八〇〇円

龍の物語　島田雅彦、玉木正之、南方熊楠、種村季弘ほか著／菊判上製／二九六頁／装丁　鈴木一誌＋箕浦卓／二五〇〇円

雪恋い　高田宏著／四六判上製／二二〇頁／装丁　鈴木一誌／一六〇〇円

プラハ幻景　ヴラスタ・チハーコヴァー著／A5判変型上製／二三八頁／装丁　中垣信夫／二四〇〇円

1988年

仮面の声　遠藤啄郎著／四六判上製／二七二頁／装丁　杉浦康平＋谷村彰彦＋佐藤篤司／二五〇〇円

行事とものの け　斎藤たま著／四六判上製／三四四頁／装丁　伊藤昭／二四〇〇円

海を渡った朝鮮人海女　金栄、梁澄子著／四六判上製／二四八頁／装丁　田村義也／一八〇〇円

えび　シヴァシャンカラ・ピッライ著、林良久訳／四六判上製／三二二頁／装丁　中垣信夫／二二〇〇円

私は旅ガラス　佐納孝子著／A5判変型上製／二四四頁／装丁　吉田カツヨ／一八〇〇円

心をこめてメランコリック　日高暢子著／小B6判上製／一八八頁／装丁　中垣信夫／一二〇〇円

草原と樹海の民　大塚和義著／A5判変型上製／二五二頁／装丁　早瀬芳文／二四〇〇円

帝国エイズの逆襲　川村毅著／四六判上製／一三六頁／装丁　赤崎正一／一五〇〇円

NIPPON・CHA!CHA!CHA!　如月小春著／四六判上製／一二八頁／装丁　平野甲賀／一五〇〇円

流れ星の光　ズォン・トゥー・フォンほか著、加藤栄訳／四六判上製／二七六頁／装丁　中垣信夫＋島田隆／二四〇〇円

炭焼日記　宇江敏勝著／四六判上製／二三二頁／装丁　田村義也／一六〇〇円

牛乳と日本人　雪印乳業株式会社広報室編著／四六判上製／一六八頁／装丁　藤田實／一六〇〇円

消えるヒッチハイカー　ジャン・ハロルド・ブルンヴァン著、大月隆寛、菅谷裕子、重信幸彦訳／A5判上製／三二八頁／装丁　中垣信夫／三〇〇〇円

僕は走って灰になる　鈴木博文著／四六判上製／二四八頁／装丁　早瀬芳文／一五〇〇円

1989年

ながすぎる蛇のアンソロジー　別役実編、夏目漱石、太宰治、ホフマン、泉鏡花、森鷗外ほか著／小B6判上製／三一二頁／装丁　鈴木一誌＋大竹左紀斗／一九〇〇円

ノスタルジック・アイドル二宮金次郎　井上章一（文）大木茂（写真）／四六判上製／二八〇頁／装丁　鈴木一誌＋大竹左紀斗／二三〇〇円

新村スケッチブック　日高由仁著／四六判上製／二二四頁／装丁　中垣信夫＋島田隆／一八〇〇円

戦争を生きぬいた女たち　サリー・ヘイトン＝キーヴァ編著、加地永都子ほか訳／四六判上製／三一二頁／装丁　平野甲賀／二四二七円

イエス・バット　ジーン・ベーカー・ミラー著、河野貴代美監訳／四六判上製／三〇四頁／装丁　深澤純子／二四〇〇円

住所と日付のある東京風景　冨田均著／四六判上製／二七二頁／装丁　鈴木一誌／二〇〇〇円

火の玉ボーイとコモンマン　鈴木慶一著／A5判変型上製／二九二頁／装丁　三枝泰之／一九三二円

ドローンとメロディー　ホセ・マセダ著、高橋悠治訳／A5判上製／二五二頁／装丁　中垣信夫＋島田隆／四二七二円

夢の蹄　芥川龍之介、矢川澄子、寺山修司、宮沢賢治ほか著／小B6判上製／三九二頁／装丁　鈴木一誌＋大竹左紀斗＋鈴木文枝＋杉本和秀／二二三三円

木の国紀聞　宇江敏勝著／四六判上製／二五六頁／装丁　田村義也／一五五三円

1990年

ハートビート　キャロリン・キャサディ著、渡辺洋訳／四六判上製／一六八頁／装丁　早瀬芳文／一六〇〇円

朴変仁・リコとピョン共和国　原秀雄著／四六判上製／三三六頁／装丁　渡部広明／二五二四円

菫礼礼少年主義宣言　あがた森魚著／A5判変型上製／二二四頁／装丁　赤崎正一／一八四五円

この星のかたすみで　久保田昭三著／四六判上製／

二〇八頁／装丁　吉田カツヨ／一五五三円

回帰する月々の記　山尾三省著／四六判上製／二五六頁／装丁　鈴木一誌＋大竹左紀斗／一七四八円

トレインソング　ジャン・ケルアック著、千葉茂隆訳／四六判上製／三〇四頁／装丁　早瀬芳文／一九四二円

太陽が一番のごちそうだった　渡辺万里著／A5判変型上製／三〇四頁／装丁　吉富浩／一八四五円

羊の物語　工藤直子、ドーデー、北村太郎、澁澤龍彦ほか著／小B6判上製／三六〇頁／装丁　鈴木一誌＋大竹左紀斗＋鈴木文枝＋蒲谷孝夫／二二三三円

チョーキング・ドーベルマン　ジャン・ハロルド・ブルンヴァン著、行方均訳／A5判上製／三一二頁／装丁　中垣信夫／三〇〇〇円

ジュリアードの青春　ジュディス・コーガン著、木村博江訳／四六判上製／三六〇頁／装丁　中垣信夫＋奥りゑ／二二〇〇円

1991年

息子とアメリカとオートバイ（増補新版）　遠藤ケイ（絵と文）／A5判変型上製／二六四頁／装丁　吉田カツヨ／一七四八円

メキシコから来たペット　ジャン・ハロルド・ブルンヴァン著、行方均、松本昇訳／A5判上製／二四〇頁／装丁　中垣信夫／二七一八円

九番目の夢　鈴木博文著／四六判上製／二五六頁／装丁　早瀬芳文／一七四八円

海女小屋日記　田仲のよ著／四六判上製／二二八頁／装丁　吉田カツヨ／一八四五円

吸血鬼ドラキュラ劇場　高橋康雄著／A5判変型上製／二八八頁／装丁　中垣信夫＋土屋瑞穂／二七一八円

異装のセクシャリティ　石井達朗著／A5判上製／三一二頁／装丁　中垣信夫／三一〇七円

こども遊び大全　遠藤ケイ（絵と文）／A5判並製／三九六頁／装丁　早瀬芳文／二三〇〇円

ウッドストック　ジョエル・マコーワー著、寺地五一訳／A5判上製／五四四頁／装丁　岩瀬聡（中垣デザイン）／四四六六円

WOMAN AT POINT ZERO　0度の女　鳥居千代香（注釈）／四六判並製／一三〇頁／一七四八円

猿の本　子母澤寛、中川志郎、南方熊楠、南伸坊ほか著

／小B6判上製／三二八頁／装丁　鈴木一誌＋鈴木文枝＋蒲谷孝夫／二二三三円

エヴァの時代　エヴァ・シュロッス著、吉田寿美訳／四六判上製／二七二頁／装丁　早瀬芳文／二〇〇〇円

1992年

オルタナティブ・メディスン　ロバート・C・フラー著、池上良正、池上冨美子訳／四六判上製／三一〇頁／装丁　赤崎正一／二五二四円

［写真集］**桜狩**　切畑利章著／B4判変型上製／九〇頁／装丁　石黒紀夫／五六三一円

アメリカに生きる私　エヴァ・ホフマン著、木村博江訳／四六判上製／三五二頁／装丁　早瀬芳文／二二三三円

ピーター・ラビットの自然はもう戻らない　マリリン・ロビンソン著、鮎川ゆりか訳／四六判上製／三二八頁／装丁　高麗隆彦／二四二七円

人形の家を出た女たち　アンジェラ・ホールズワース著、石山鈴子、加地永都子訳／A5判変型上製／三八四頁／装丁　岩瀬聡（中垣デザイン）／二九一三円

マンハッタン新人検事補は夜も眠らない　デイヴィッド・ハイルブローナー著、山本裕之訳／四六判上製／三八四頁／装丁　早瀬芳文／二二三三円

笑う映画　読んでシネマ1　シネマハウス編／A5判並製／二三二頁／装丁　早瀬芳文／一八〇〇円

宮沢賢治　栗原敦著／四六判上製／四八〇頁／装丁　田村義也／五〇四九円

くそっ！なんてこった　ジャン・ハロルド・ブルンヴァン著、行方均訳／A5判上製／二六六頁／装丁　中垣信夫／三一〇七円

熱帯の風と人と　鈴木博著／A5判変型上製／三〇四頁／装丁　吉田カツヨ／二三三〇円

エイリアン・ネイションの子供たち　野崎六助著／四六判上製／二七二頁／装丁　佐藤可士和／二四二七円

夏の雨　マー・ヴァン・カーン著、加藤栄訳／四六判並製／三二八頁／装丁　長谷川徹／二三三〇円

メルボルンの黒い髪　北沢街子著／四六判上製／二八八頁／装丁　日下潤一／一九四二円

桜映画の仕事　桜映画社編／A5判上製／三四四頁／装丁　野路健／三六八九円

ニュー・ブリード　カレン・ハーディ著、岡山徹訳／A4判変型並製／一九二頁／装丁　清野僚一／二七一八円
DOLL／トロイメライ　如月小春著／四六判並製／一六〇頁／装丁　赤崎正一／一四〇〇円
東京外国人アパート物語　相川俊英著／四六判並製／二五八頁／装丁　日下潤一／一七四八円
ボディ・サイレント　ロバート・F・マーフィー著、辻信一訳／四六判上製／三一六頁／装丁　高麗隆彦／二六〇〇円
風になれ！子どもたち　野本三吉著／四六判上製／二四八頁／装丁　吉田カツヨ／一七四八円

1993年

エイジアン・ポップ・ミュージックの現在　大須賀猛＋ASIAN BEATS CLUB編／A5判並製／二〇八頁／装丁　早瀬芳文／二一三六円
ホット・ウォーター・ミュージック　チャールズ・ブコウスキー著、山西治男訳／四六判上製／三〇四頁／装丁　栗原裕孝／二五二四円
ナチュラルとヘルシー　ウォーレン・J・ベラスコ著、加藤信一郎訳／A5判上製／三五二頁／装丁　柿崎宏和（中垣デザイン）／四六六〇円
ジム・モリスン詩集　ジム・モリスン著、篠原一郎訳／四六判上製／二一二頁／装丁　早瀬芳文／二四二七円
パルンガの夜明け　ラーム・セーカル著、高岡秀暢訳／四六判並製／二四〇頁／装丁　谷村彰彦／二三三〇円
幼い未亡人　鳥居千代香（注釈）／四六判並製／一〇〇頁／装丁　谷村彰彦／一七四八円
アメリカの極右　ジェームズ・リッジウェイ著、山本裕之訳／A5判上製／三三二頁／装丁　中垣信夫＋舩木有紀／三三〇一円
新版　プラハ幻景　ヴラスタ・チハーコヴァー著／A5判変型上製／二五六頁／装丁　中垣信夫／三一〇七円
映画と原作の危険な関係　読んでシネマ2　シネマハウス編／A5判並製／二七二頁／装丁　安喰英樹／二三三〇円
インドのコールガール　プロミラ・カプール著、鳥居千代香訳／四六判上製／二八〇頁／装丁　田村義也／

二七一八円

はるかなる大地クーレイン　ジル・カー・コンウェイ著、宮木陽子訳／四六判上製／三二四頁／装丁　早瀬芳文／二三三〇円

XTC　チョークヒルズ・アンド・チルドレン　クリス・トゥーミィ著、藤本成昌訳／A5判上製／三一四頁／装丁　中垣信夫＋有山達也／三三〇一円

1994年

美しさという神話　リタ・フリードマン著、常田景子訳／四六判上製／四〇八頁／装丁　中垣信夫＋有山達也／三一〇七円

肉食という性の政治学　キャロル・J・アダムズ著、鶴田静訳／A5判上製／三二〇頁／装丁　高麗隆彦／四二七二円

ビッグ・サー　ジャック・ケルアック著、渡辺洋、中上哲夫訳／四六判上製／二九二頁／装丁　早瀬芳文／二三三〇円

アイルランド田舎物語　アリス・テイラー著、高橋豊子訳／四六判上製／二四〇頁／装丁　中垣信夫＋奥りる／二一三六円

ザ・ベイビー・トレイン　行方均、鬼塚大輔（編注）／A5判並製／九二頁／一六〇〇円

ビルマの民衆文化　ルードゥ・ドー・アマー著、土橋泰子訳／四六判並製／二八八頁／装丁　谷村彰彦／二七一八円

ベースボール、男たちのダイヤモンド　W・P・キンセラほか著、ピーター・C・ブジャークマン編、岡山徹訳、／四六判上製／三〇四頁／装丁　高麗隆彦／二三三〇円

どうやって空気を売るというのか？　田口富士雄（絵）、北山耕平訳／B5判上製／三二頁／装丁　なある（長尾田鶴子）／二一三六円

縄文杉の木蔭にて（増補新版）　山尾三省著／四六判上製／二五六頁／装丁　吉田カツヨ／一八四五円

神の乙女クマリ　ビジャイ・マッラ著、寺田鎮子訳／四六判並製／二八八頁／装丁　谷村彰彦／二五二四円

受け方・受かり方がわかる小学校受験読本　石原尚子著／A5判並製／二二〇頁／一四五六円

サーカスのフィルモロジー　石井達朗著／A5判上製

／三〇四頁／装丁　中垣信夫／三三〇一円

1995年

ガリ版文化を歩く　志村章子著／四六判上製／三二〇頁／装丁　冬澤未都彦／二七一八円

彼らの目は神を見ていた〔ハーストン作品集1〕　ゾラ・ニール・ハーストン著、松本昇訳／四六判上製／二八八頁／装丁　中垣信夫＋奥りゑ／二三三〇円

ブーマー　リンダ・ニーマン著、大石千鶴訳／四六判上製／三五二頁／装丁　早瀬芳文／二三三〇円

樹木と生きる　宇江敏勝著／四六判上製／二六四頁／装丁　吉田カツヨ／一八四五円

ハーレム・スピークス　辻信一著、トミー・トミタ企画／四六判上製／二八四頁／装丁　早瀬芳文／二二三三円

アイヌ　海浜と水辺の民　大塚和義著／A5判変型上製／二五六頁／装丁　早瀬芳文／二七一八円

市川房枝自伝　戦前編（新版）　市川房枝著／四六判上製／六四〇頁／装丁　中垣信夫／四六六〇円

ブコウスキー詩集　チャールズ・ブコウスキー著、中上哲夫訳／四六判上製／二五六頁／装丁　栗原裕孝／二〇〇〇円

アイルランド冬物語　アリス・テイラー著、高橋豊子訳／四六判上製／二〇八頁／装丁　中垣信夫＋奥りゑ／二一三六円

1996年

ナイル自転車大旅行記　ベッティナ・セルビー著、小林泰子訳／四六判上製／三〇四頁／装丁　早瀬芳文／二三三〇円

〈外地〉の日本語文学選1　南方・南洋／台湾　邱永漢、中島敦ほか著、黒川創編／四六判上製／三六四頁／装丁　南伸坊／三六八九円

〈外地〉の日本語文学選2　満洲・内蒙古／樺太　宮内寒彌、平林たい子ほか著、黒川創編／四六判上製／三九六頁／装丁　南伸坊／四〇七八円

〈外地〉の日本語文学選3　朝鮮　金達寿、高浜虚子ほか著、黒川創編／四六判上製／三八八頁／装丁　南伸坊／三七八六円

モノマネ鳥よ、おれの幸運を願え　チャールズ・ブコウ

スキー著、中上哲夫訳／四六判上製／三二〇頁／装丁　栗原裕孝／二三三〇円

野本三吉NF選集1　不可視のコミューン　野本三吉著／四六判上製／三〇四頁／装丁　田カツヨ／二〇〇〇円

野本三吉NF選集2　風になれ！子どもたち　野本三吉著／四六判上製／三〇六頁／装丁　吉田カツヨ／二〇〇〇円

野本三吉NF選集3　風の自叙伝　野本三吉著／四六判上製／三〇四頁／装丁　吉田カツヨ／二〇〇〇円

野本三吉NF選集4　裸足の原始人たち　野本三吉著／四六判上製／三一二頁／装丁　吉田カツヨ／二〇〇〇円

孤独な旅人　ジャック・ケルアック著、中上哲夫訳／四六判上製／二四〇頁／装丁　岩瀬聡／二三三〇円

正直エビス　蛭子能収著／四六判上製／二二四頁／装丁　南伸坊／一八〇〇円

ハーストン自伝　路上の砂塵〔ハーストン作品集2〕　ゾラ・ニール・ハーストン著、常田景子訳／四六判上製／三五六頁／装丁　中垣信夫＋奥りゑ／二五二四円

アイルランド青春物語　アリス・テイラー著、高橋豊子訳／四六判上製／二五二頁／装丁　中垣信夫＋奥りゑ／二一三六円

宇江敏勝の本Ⅰ－1　森をゆく旅　宇江敏勝著／四六判上製／二六八頁／装丁　田村義也／二〇〇〇円

宇江敏勝の本Ⅰ－2　炭焼日記　宇江敏勝著／四六判上製／二五六頁／装丁　田村義也／二〇〇〇円

1997年

イギリスの豚はおいしいか？　ポール・ハイニー著、鶴田庸子訳／四六判上製／二六四頁／装丁　高麗隆彦／二二〇〇円

消えるヒッチハイカー（新装版）　ジャン・ハロルド・ブルンヴァン著、大月隆寛、菅谷裕子、重信幸彦訳／A5判並製／三二八頁／装丁　中垣信夫／二五〇〇円

ドーベルマンに何があったの？　ジャン・ハロルド・ブルンヴァン著、行方均訳／A5判並製／三一二頁／装丁　中垣信夫／二五〇〇円

赤ちゃん列車が行く　ジャン・ハロルド・ブルンヴァン

著、行方均訳／四六判上製／四一六頁／装丁　中垣信夫＋斎藤いづみ／二七〇〇円

アンビヴァレント・モダーンズ　ローレンス・オルソン著、黒川創、北沢恒彦、中尾ハジメ訳／四六判上製／二九〇頁／装丁　日下潤一／三二〇〇円

ボディ・サイレント（新装版）　ロバート・F・マーフィー著、辻信一訳／四六判上製／三一六頁／装丁　高麗隆彦／二四〇〇円

1998年

宇江敏勝の本Ⅰ–3　山びとの動物誌　宇江敏勝著／四六判上製／三三六頁／装丁　田村義也／二二〇〇円

わたしは老いる……あなたは？　メリリー・ワイズボード著、辻信一訳／四六判上製／三五二頁／装丁　高麗隆彦／二六〇〇円

ジャック・ケルアックのブルース詩集　ジャック・ケルアック著、経田佑介、中上哲夫訳／四六判上製／三二〇頁／装丁　岩瀬聡／二五〇〇円

ブコウスキーの3ダース　チャールズ・ブコウスキー著、山西治男訳／四六判上製／三〇四頁／装丁　岩瀬聡／二二〇〇円

ブコウスキーの「尾が北向けば…」　チャールズ・ブコウスキー著、山西治男訳／四六判上製／三〇六頁／装丁　岩瀬聡／二二〇〇円

僕は走って灰になる（増補新版）　鈴木博文著／四六判上製／二六四頁／装丁　早瀬芳文／二〇〇〇円

小学校受験読本'98～'99　ニノランド母親グループ編／A5判並製／二四〇頁／装丁　狭山トオル／一九〇〇円

遠花火　関政明著／四六判上製／二三二頁／装丁　堀渕伸治／一六〇〇円

ジュリアードの青春（新装版）　ジュディス・コーガン著、木村博江訳／四六判上製／三五二頁／装丁　中垣信夫＋岡本健／二四〇〇円

色丹島記　長見義三著／四六判上製／三〇四頁／装丁　田村義也／二四〇〇円

1999年

グリーンフィールズ　スティーヴン・リン著、笠井逸子訳／四六判上製／三三六頁／装丁　毛利一枝／

二二〇〇円

水仙　長見義三著／四六判上製／二四四頁／装丁　田村義也／二二〇〇円

ロバート・ロドリゲスのハリウッド頂上作戦　ロバート・ロドリゲス著、とちぎあきら訳／A5判並製／三七六頁／装丁　狭山トオル／二八〇〇円

窓の女　竹中繁のこと　香川敦子著／四六判上製／二〇八頁／二二〇〇円

ヴードゥーの神々【ハーストン作品集3】　ゾラ・ニール・ハーストン著、常田景子訳／四六判上製／三〇四頁／装丁　中垣信夫＋岡本健／二八〇〇円

見世物小屋の文化誌　鵜飼正樹、北村皆雄、上島敏昭編著／A5判並製／三五二頁／装丁　谷村彰彦／三〇〇〇円

2000年

アイルランドの石となり、星となる　デニーズ・ホール著、三谷眸訳／四六判上製／二〇八頁／装丁　毛利一枝／二〇〇〇円

文化と文化　邦正美著／四六判上製／二二〇頁／装丁　吉冨浩／二二〇〇円

牛乳と日本人（新版）　吉田豊著／四六判上製／二二四頁／装丁　田村義也／二〇〇〇円

見世物稼業　鵜飼正樹著／A5判上製／三二八頁／装丁　谷村彰彦／三〇〇〇円

エヴァの時代（増補新版）　エヴァ・シュロッス著、吉田寿美訳／四六判上製／二七二頁／装丁　早瀬芳文／二〇〇〇円

ビッグ・サーの夏　ジャック・ケルアック著、渡辺洋、中上哲夫訳／四六判上製／二九六頁／装丁　毛利一枝／二四〇〇円

湯気のむこうの伝説　垣東充生著、大村明彦企画／四六判上製／二五六頁／一八〇〇円

森の語り部　宇江敏勝著／四六判上製／三九二頁／装丁　田村義也／二二〇〇円

2001年

動物病院笑い話555　ポッポ先生著／四六判上製／二四〇頁／装丁　戸川隆介／一八〇〇円

こども遊び大全（新版）　遠藤ケイ（絵と文）／A5判

並製／四〇〇頁／装丁　早瀬芳文／二八〇〇円

ブコウスキーの「尾が北向けば…」（改訂新版）　チャールズ・ブコウスキー著、山西治男訳／四六判上製／三〇八頁／装丁　毛利一枝／二四〇〇円

海女たちの四季（新版）　田仲のよ著、加藤雅毅編／A5判変型上製／二六四頁／装丁　狭山トオル／二二〇〇円

DOLL／トロイメライ（新版）　如月小春著／四六判並製／一六〇頁／装丁　赤崎正一／一四〇〇円

宇江敏勝の本I-4　山に棲むなり　宇江敏勝著／四六判上製／二一六頁／装丁　田村義也／二〇〇〇円

宇江敏勝の本I-5　樹木と生きる　宇江敏勝著／四六判上製／二六四頁／装丁　田村義也／二〇〇〇円

宇江敏勝の本I-6　若葉は萌えて　宇江敏勝著／四六判上製／三〇四頁／装丁　田村義也／二二〇〇円

如月小春精選戯曲集　如月小春著／A5判並製／三六八頁／装丁　赤崎正一／三八〇〇円

如月小春は広場だった　『如月小春は広場だった』編集委員会／A5判並製／二七六頁／装丁　赤崎正一／二八〇〇円

2002年

コレあげよっと　高垣千尋著／四六判変型並製／一一六頁／装丁　互井陽子／一五〇〇円

アイルランド村物語　アリス・テイラー著、高橋豊子訳／四六判上製／二四八頁／装丁　中垣信夫＋奥りゑ＋引地渉／二二〇〇円

犬と三日月　加瀬由美子著／四六判上製／二六四頁／装丁　毛利一枝／一八〇〇円

野本三吉NF選集5　出会いと別れの原風景　野本三吉著／四六判上製／三二四頁／装丁　吉田カツヨ／二〇〇〇円

ガリ版文化史（新版）　志村章子著／四六判上製／二七二頁／装丁　標卓造／二四〇〇円

百姓がまん記　木村迪夫著／四六判上製／二五六頁／装丁　田村義也／二〇〇〇円

2003年

チベットと日本の百年　日本人チベット行百年記念フォーラム実行委員会編／A5判並製／二四〇頁／装丁　田中明美／二〇〇〇円

異装のセクシュアリティ（新版）　石井達朗著／A5判並製／三六八頁／装丁　吉見真琴／三二〇〇円

ぶらぶら猫のパリ散歩　藤野優哉（文と絵）／A5判変型並製／二八八頁／装丁　BBCat／二五〇〇円

サメ博士ジニーの冒険　エレン・R・バッツ他著、笠井逸子訳／四六判上製／二〇八頁／装丁　毛利一枝／二〇〇〇円

女剣一代　伊井一郎著／A5判並製／四四〇頁／装丁　久保敦史（禅）／三八〇〇円

私たちはこうして二十世紀を越えた　坂手洋二著／A5判並製／三五六頁／装丁　赤崎正一／三八〇〇円

生活という速度　関沢英彦著／四六判上製／二五二頁／装丁　高橋哲久／一七〇〇円

パリ半日ぶらぶら散歩　フランソワーズ・ベス著、ジャン・ピエール・ヴィヨーム絵、藤野優哉訳／A5判変型並製／一九八頁／装丁　BBCat／二二〇〇円

田村義也——編集現場115人の回想　田村義也追悼集刊行会著／四六判上製／三三六頁／装丁　桂川潤／非売品

2004年

［写真集］**日計り**　迫川尚子著／A5判並製／二〇〇頁／装丁　鈴木一誌+中里岳広／二八〇〇円

宇江敏勝の本II－1　熊野修験の森　宇江敏勝著／四六判上製／二六六頁／装丁　桂川潤／二二〇〇円

ブダペスト日記　徳永康元著／四六判上製／三二〇頁／装丁　本田進／二五〇〇円

［写真集］**新宿海溝**　平賀淳著／B5判並製／九六頁／装丁　鈴木一誌+鈴木朋子／三八〇〇円

野本三吉NF選集6　未完の放浪者　野本三吉著／四六判上製／三二四頁／装丁　吉田カツヨ／二〇〇〇円

「やせたい」に隠された心　粕谷なち、草薙和美著／四六判並製／二六四頁／装丁　鈴木一誌+藤田美咲／一八〇〇円

都市伝説的中華人民驚和国　鷹木ガナンシア敦著／A5判並製／二六四頁／装丁　鈴木一誌+武井貴行／二八〇〇円

なんだこりゃ！フランス人　テッド・スタンガー著、藤野優哉訳／四六判並製／三〇四頁／装丁　BBCat／一九〇〇円

世界遺産　熊野古道　宇江敏勝著／四六判並製／二九六頁／装丁　吉田カツヨ／二〇〇〇円

悲劇のヴァイキング遠征　マッツ・G・ラーション著、荒川明久訳／四六判上製／二四四頁／装丁　原島康晴／二五〇〇円

火山灰地　久保栄著／四六判上製／四二四頁／装丁　桂川潤／五八〇〇円

ドイツワイン　偉大なる造り手たちの肖像　岩本順子著／四六判並製／一九六頁／装丁　島津デザイン事務所／二〇〇〇円

2005年

久保栄　小笠原克著／四六判上製／二三二頁／装丁　桂川潤／三八〇〇円

ニッポンの素　武田徹著／A5判並製／四〇四頁／装丁　鈴木一誌+鈴木朋子／三八〇〇円

現代風俗・興行　現代風俗研究会編／A5判並製／二一六頁／装丁　岡彩子／二〇〇〇円

千年の修験　島津弘海+北村皆雄編著／A5判並製／三七二頁／装丁　杉浦康平+佐藤篤司+島田薫／三〇〇〇円

金尾文淵堂をめぐる人びと　石塚純一著／四六判上製／三〇四頁／装丁　大貫伸樹／二八〇〇円

かがやく21世紀を拓く　水田宗子編／四六判並製／一八八頁／装丁　中垣信夫+布野友紀／一三〇〇円

留まりたかった瞬間の数々　朴啓馨著／四六判並製／二七二頁／装丁　大貫伸樹／二〇〇〇円

君死にたもうことなかれ　吉田隆子著／四六判上製／三一二頁／装丁　桂川潤／三二〇〇円

見世物3号　見世物学会編／A5判並製／二〇八頁／装丁　島津デザイン事務所／一八〇〇円

お寺に泊まる京都散歩　吉田さらさ著／四六判並製／二四〇頁／装丁　中澤裕志+清田亮平／一七〇〇円

なんだこりゃ!アメリカ人　テッド・スタンガー著、藤野優哉訳／四六判並製／三〇八頁／装丁　BBCat／一九〇〇円

秩父浦山ぐらし　黒倉正雄、斎藤たま（文と絵）／四六判並製／二四四頁／装丁　大貫伸樹／一七〇〇円

北欧映画　完全ガイド　小松弘監修、渡辺芳子責任編集／A5判並製／三〇四頁／装丁　鈴木一誌+藤田美

咲＋杉山さゆり／四六〇〇円

色丹島記（増補新版）　長見義三著／四六判並製／三四四頁／装丁　田村義也／二五〇〇円

石山貴美子写真帖　石山貴美子著／A5判上製／三五二頁／装丁　阿部美智／三二〇〇円

舞踊創作の技法　リーン・アン・ブラム、L・タリン・チャプリン著、碓井節子訳／A5判並製／三七六頁／装丁　大貫伸樹／三〇〇〇円

ジム・モリスン詩集（新装版）　ジム・モリスン著、篠原一郎訳／四六判上製／二一二頁／装丁　早瀬芳文／二四〇〇円

2006年

チンドン屋!幸治郎　林幸治郎著／四六判並製／三二〇頁／装丁　上間アキヒコ／一八〇〇円

現代風俗・娯楽の殿堂　現代風俗研究会編／A5判並製／一九二頁／装丁　岡彩子／二〇〇〇円

宇江敏勝の本II-2　山びとの記　宇江敏勝著／四六判上製／二八八頁／装丁　桂川潤／二〇〇〇円

韓国夢幻　伊藤亜人著／A5判並製／二二四頁／装丁　赤崎正一／一八〇〇円

【新装版】ジュリアードの青春　ジュディス・コーガン著、木村博江訳／四六判上製／三五二頁／装丁　中垣信夫＋坂野徹／二四〇〇円

お寺で遊ぶ東京散歩　吉田さらさ著／四六判並製／二七二頁／装丁　中澤裕志＋日高裕也／一八〇〇円

海の島【ステフィとネッリの物語1】　アニカ・トール著、菱木晃子訳／四六判上製／二九六頁／装丁　矢野徳子＋島津デザイン事務所／二〇〇〇円

間道　坂入尚文著／四六判上製／二七二頁／装丁　赤崎正一／二四〇〇円

1972青春軍艦島　大橋弘著／A5判並製／一三六頁／装丁　佐藤裕吾／二三〇〇円

宇江敏勝の本II-3　森のめぐみ　宇江敏勝著／四六判上製／二六二頁／装丁　桂川潤／二二〇〇円

見る、撮る、魅せるアジア・アフリカ（DVD付）　北村皆雄、新井一寛、川瀬慈編著／A5判並製／二六二頁／装丁　矢野徳子＋島津デザイン事務所／三五〇〇円

現代風俗・移動の風俗　現代風俗研究会編／A5判並

製／二四〇頁／装丁　中川志津子／二二〇〇円

俳優の領分　如月小春著／四六判上製／三六八頁／装丁　赤崎正一／三二〇〇円

おきなわ女性学事始　勝方＝稲福恵子著／四六判上製／二五六頁／装丁　オフィスあみ／二八〇〇円

2007年

ゆの字ものがたり　田村義也著／四六判上製／三八四頁／装丁　桂川潤／三〇〇〇円

［写真集］**女（ONNA）**　中原英明＋船元康子著／B5判変型上製／一四四頁／装丁　MAN-RAY＋渡辺裕二／三八〇〇円

絵地図師・美江さんの東京下町散歩　高橋美江著／A5判変型並製／一二八頁／装丁　矢野徳子（島津デザイン事務所）／一八〇〇円

［写真集］**EXPOSED 東海村感光録**　金瀬胖著／A4判変型上製／一二〇頁／装丁　鈴木一誌＋藤田美咲／三二〇〇円

現代風俗・応援・サポート・人助けの風俗　現代風俗研究会編／A5判並製／二二〇頁／装丁　中川志津子／二二〇〇円

僕の二人のおじさん、藤田嗣治と小山内薫　蘆原英了著／四六判上製／三三六頁／装丁　桂川潤／二八〇〇円

宇江敏勝の本II-4　熊野川　宇江敏勝著／四六判上製／三二四頁／装丁　桂川潤／二二〇〇円

探求　R・ラポルト著、山本光久訳／四六判上製／四四八頁／装丁　菊地信義／三四〇〇円

孤を超えて　高沢武司著／四六判上製／二〇四頁／装丁　桂川潤／一八〇〇円

見世物4号　見世物学会編／A5判並製／二五六頁／装丁　島津デザイン事務所／二二〇〇円

2008年

堀切玩具堂　堀切玩具堂著／A5判並製／二〇〇頁／装丁　田辺智子／二二〇〇円

大地のうた（新装・新版）　ビブティブション・ボンドパッダエ著、林良久訳／四六判上製／三四八頁／装丁　中垣信夫＋井川祥子／二二〇〇円

おきなわ就活塾　重田辰弥著／四六判並製／二一六頁／装丁　海發準一／一八〇〇円

風と大地と　越野武著／A5判並製／二六四頁／装丁赤崎正一／二八〇〇円

美術と展示の現場　秋元雄史、中原佑介、笠原美智子、増田玲著／A5判変型並製／一六〇頁／装丁　赤崎正一／一九〇五円

睡蓮の池〔ステフィとネッリの物語2〕　アニカ・トール著、菱木晃子訳／四六判上製／二五二頁／装丁　矢野徳子＋島津デザイン事務所／二〇〇〇円

現代風俗・野菜万歳　現代風俗研究会編／A5判並製／二〇四頁／装丁　上野かおる／二二〇〇円

東北を歩く　結城登美雄著／四六判並製／三二四頁／装丁　矢野徳子＋島津デザイン事務所／二〇〇〇円

見残しの塔　久木綾子著／A5判変型上製／三六四頁／装丁　桂川潤／二四〇〇円

お寺に泊まる京都散歩（改訂新版）　吉田さらさ著／四六判並製／二四〇頁／装丁　中澤裕志＋清田亮平／一七〇〇円

墨染めに咲け　須山静夫著／四六判上製／四三二頁／装丁　開発彩子／二八〇〇円

宇江敏勝の本II-5　森とわたしの歳月　宇江敏勝著／四六判上製／二八八頁／装丁　桂川潤／二二〇〇円

2009年

メコンデルタ　高田洋子著／四六判上製／二八八頁／装丁　海發準一／二九〇〇円

リディキュラス！　デヴィッド・カウフマン著、常田景子訳／A5判上製／六二四頁／装丁　赤崎正一／四二〇〇円

塩田千春／心が形になるとき　塩田千春著／A5判変型並製／一六八頁／装丁　赤崎正一／二〇〇〇円

海の深み〔ステフィとネッリの物語3〕　アニカ・トール著、菱木晃子訳／四六判上製／二七二頁／装丁　矢野徳子＋島津デザイン事務所／二〇〇〇円

大海の光〔ステフィとネッリの物語4〕　アニカ・トール著、菱木晃子訳／四六判上製／三一六頁／装丁　矢野徳子＋島津デザイン事務所／二〇〇〇円

女湯に浮かんでみれば　堀ミチヨ著／四六判並製／二八八頁／装丁　矢野徳子＋鈴木知哉／一七〇〇円

どぶろくと女　阿部健著／四六判並製／六三二頁／装丁　矢野徳子＋島津デザイン事務所／三八〇〇円

宇江敏勝の本II-6 山河微笑 宇江敏勝著／四六判上製／三二八頁／装丁 桂川潤／二二〇〇円

2010年

くらし大好き12カ月 中川もと子著／A5判変型並製／一三六頁／装丁 古村奈々／一四〇〇円

現代風俗・駅前観測 現代風俗研究会編／A5判並製／二〇八頁／装丁 糟谷義人／二二〇〇円

渡る世間は神仏ばかり 吉田さらさ著／四六判上製／二六四頁／装丁 桂川潤／一八〇〇円

1972 青春軍艦島（増補新版） 大橋弘著／A5判並製／一四四頁／装丁 佐藤裕吾／二三〇〇円

中山英之／スケッチング 中山英之著／A5判変型並製／一六〇頁／装丁 赤崎正一／二〇〇〇円

褉の塔 久木綾子著／A5判変型上製／二〇八頁／装丁 桂川潤／二〇〇〇円

断髪する女たち 磯山久美子著／A5判上製／三〇四頁／装丁 赤崎正一／三八〇〇円

続 絵地図師・美江さんの東京下町散歩 高橋美江著／A5判変型並製／一二八頁／装丁 矢野徳子＋島津デザイン事務所／一八〇〇円

［写真集］領分 齋藤誠一著／B4判変型上製／九六頁／装丁 鈴木一誌＋村上和／三六〇〇円

草木染め絨毯 ギャッベ 向村春樹、片岡弘子著／B5判上製／一五二頁／装丁 大藪胤美／三八〇〇円

現代風俗・プロレス文化 現代風俗研究会編／A5判並製／二〇八頁／装丁 中川志津子／二二〇〇円

2011年

［写真集］海片 山口保著／一九八×二一〇ミリ上製／一〇八頁／装丁 鈴木一誌＋村上和＋PLACE M／三二〇〇円

［写真集］汽罐車 大木茂著／二五〇×二五〇ミリ上製／一六四頁／装丁 鈴木一誌＋杉山さゆり／三八〇〇円

西山美なコ／〜いろいき〜 西山美なコ著／A5判変型並製／一四四頁／装丁 赤崎正一／二〇〇〇円

老いも楽し 酒見綾子著／A5判変型上製／二〇四頁／装丁 桂川潤／二〇〇〇円

わたしの中の遠い夏 アニカ・トール著、菱木晃子訳／

四六判上製／三四〇頁／装丁　桂川潤／二二〇〇円

宇江敏勝民俗伝奇小説集1　山人伝　宇江敏勝著／四六判上製／一八四頁／装丁　鈴木一誌／二〇〇〇円

沖縄〈復帰〉の構造　高橋順子著／A5判並製／三三六頁／装丁　海發準一／三八〇〇円

神保町　タンゴ喫茶劇場　堀ミチヨ著／四六判上製／二二四頁／装丁　鈴木一誌／二〇〇〇円

東北を歩く（増補新版）　結城登美雄著／四六判上製／三三六頁／装丁　矢野徳子＋島津デザイン事務所／二〇〇〇円

［写真集］**IN**、　高梨豊著／二五一×二六一ミリ上製／一四八頁／装丁　鈴木一誌＋杉山さゆり／六〇〇〇円

2012年

普及原論　梅原彰著／四六判上製／二二四頁／装丁　鈴木一誌＋大河原哲／二〇〇〇円

死ぬまで編集者気分　小林祥一郎著／四六判上製／三八四頁／装丁　桂川潤／二八〇〇円

インタラクション・デザイン　神戸芸術工科大学デザイン教育研究センター編／A5判変型並製／一六八頁／装丁　赤崎正一／二〇〇〇円

鶏が鳴く東　ことばの旅1　斎藤たま著／四六判上製／二八〇頁／装丁　鈴木一誌／二〇〇〇円

ベロベロカベロ　ことばの旅2　斎藤たま著／四六判上製／二八〇頁／装丁　鈴木一誌＋大河原哲／二〇〇〇円

いだわし蟹田川　大澗慶逸著／四六判上製／二二四頁／装丁　杉山さゆり／一四〇〇円

宇江敏勝民俗伝奇小説集2　幽鬼伝　宇江敏勝著／四六判上製／二四〇頁／装丁　鈴木一誌／二〇〇〇円

見世物5号　見世物学会編／A5判並製／一六〇頁／装丁　DEDEUXCHE／一八〇〇円

わたしは菊人形バンザイ研究者　川井ゆう著／A5判上製／二二〇頁／装丁　矢野のり子＋島津デザイン事務所／二四〇〇円

日高六郎・95歳のポルトレ　黒川創著／四六判上製／二三二頁／装丁　平野甲賀／二二〇〇円

サンドラ、またはエスのバラード　カンニ・メッレル著、菱木晃子訳／四六判上製／三一六頁／装丁　桂川潤／二二〇〇円

現代風俗・物見遊山　現代風俗研究会編／A5判並製／一九二頁／装丁　中川志津子／二二〇〇円

2013年

S先生のこと　尾崎俊介著／四六判上製／二八八頁／装丁　Q（杉山さゆり）／二四〇〇円

宇江敏勝民俗伝奇小説集3　鹿笛　宇江敏勝著／四六判上製／二二四頁／装丁　鈴木一誌／二〇〇〇円

釜ヶ崎語彙集 1972-1973　寺島珠雄編著／四六判上製／三〇四頁／装丁　赤崎正一／三三〇〇円

新版　絵地図師・美江さんの東京下町散歩　高橋美江著／A5判変型並製／一二八頁／装丁　矢野徳子／一八〇〇円

2014年

［写真集］**時軸**　山口保著／二五〇×二五〇ミリ上製／一四四頁／装丁　鈴木一誌＋大河原哲／三七〇〇円

嶋田厚著作集（全3巻）　嶋田厚著／四六判並製函入り／一〇五六頁／装丁　鈴木一誌＋大河原哲／六三〇〇円

1969新宿西口地下広場（DVD付）　大木晴子、鈴木一誌編／A5判並製／二〇八頁／装丁　鈴木一誌＋桜井雄一郎／三二〇〇円

［写真集］**寿辞**（よごと）　ウエダ建設社史編纂室／A4判上製／一一二頁／装丁　鈴木一誌＋上村隆博＋大河原哲／二八〇〇円

宇江敏勝民俗伝奇小説集4　鬼の哭く山　宇江敏勝著／四六判上製／二二〇頁／装丁　鈴木一誌／二〇〇〇円

ホールデンの肖像　尾崎俊介著／四六判上製／三〇四頁／装丁　Q（杉山さゆり）／二三〇〇円

神馬　上野敏彦著／四六判上製／二五六頁／装丁　赤崎正一／二四〇〇円

2015年

希望をつくる島・沖縄　野本三吉著／四六判並製／三二二頁／装丁　坂口顯／一八〇〇円

宇江敏勝民俗伝奇小説集5　黄金色の夜　宇江敏勝著／四六判上製／一八〇頁／装丁　鈴木一誌／二〇〇〇円

《原爆の図》全国巡回　岡村幸宣著／四六判上製／二九二頁／装丁　鈴木一誌＋山川昌悟／二四〇〇円

2016年

ラフカディオ・ハーンの魅力　西川盛雄著／四六判上製／二八八頁／装丁　坂口顯／二八〇〇円

紙手水本II　戸田ツトム、赤崎正一監修／A5判並製／二〇〇頁／装丁　清水薫ほか／一八〇〇円

宇江敏勝民俗伝奇小説集6　流れ施餓鬼　宇江敏勝著／四六判上製／二八〇頁／装丁　鈴木一誌／二二〇〇円

見世物6号　見世物学会・学会誌企画編集委員会編／A5判並製／二五二頁／装丁　桜井雄一郎／二〇〇〇円

雪花火　高橋桂子著／選書判並製／一八〇頁／一〇〇〇円

DOLL／如月小春精選戯曲集2　如月小春著／A5判変型並製／四四八頁／装丁　赤崎正一／三八〇〇円

農業は生き方です　梅原彰編著／四六判並製／三五二頁／装丁　鈴木一誌＋桜井雄一郎＋下田麻亜也／一六〇〇円

2017年

金春の能〈上〉　金春安明著／A5判上製／三二〇頁／装丁　鈴木一誌＋山川昌悟＋下田麻亜也／三五〇〇円

表裏異體　杉浦康平＋神戸芸術工科大学共同研究組織著／B5判変型並製／九四頁／装丁　赤崎正一／二八五〇円

さきちゃんの読んだ絵本　かわいゆう著／四六判変型並製／二八八頁／装丁　杉山さゆり／一八〇〇円

宇江敏勝民俗伝奇小説集7　熊野木遣節　宇江敏勝著／四六判上製／二八四頁／装丁　鈴木一誌／二二〇〇円

琉球古典音楽　安冨祖流の研究（DVD・CD付）　新城亘著／B5判上製／二四六頁／装丁　海發準一／六〇〇〇円

2018年

夏目漱石考　西川盛雄著／四六判上製／二三〇頁／装丁　本田進／二七〇〇円

そっちやない、こっちや　映画監督・柳澤壽男の世界　岡田秀則＋浦辻宏昌編著／A5判並製／四一六頁／装丁　鈴木一誌＋桜井雄一郎＋下田麻亜也／三八〇〇円

村山新治、上野発五時三五分　村山新治著、村山正実編

／四六判上製／四一六頁／装丁　桜井雄一郎＋佐野淳子／三七〇〇円

ダンサーは消える　室野井洋子著／Ｂ６判並製／二一二頁／装丁　木村理臣／二〇〇〇円

宇江敏勝民俗伝奇小説集８　呪い釘　宇江敏勝著／四六判上製／二八四頁／装丁　鈴木一誌／二二〇〇円

見世物７号　見世物学会・学会誌企画編集委員会編／Ａ５判並製／二〇〇頁／装丁　桜井雄一郎／二〇〇〇円

２０１９年

宇江敏勝民俗伝奇小説集９　牛鬼の滝　宇江敏勝著／四六判上製／二九六頁／装丁　鈴木一誌／二二〇〇円

四匹のカエルとおやかた　かわいゆう著／四六判並製／二一六頁／装丁　鈴木一誌＋下田麻亜也／一五〇〇円

２０２０年

未来へ　原爆の図丸木美術館学芸員日誌 2011-2016　岡村幸宣著／Ａ５判変型並製／三二四頁／装丁　36/42Associates(杉山さゆり)／二四〇〇円

［写真集］**骨の髄**　甲斐啓二郎著／二五七×二五〇ミリ上製／一三二頁／装丁　鈴木一誌＋吉見友希／五三〇〇円

宇江敏勝民俗伝奇小説集10　狸の腹鼓　宇江敏勝著／四六判上製／二六〇頁／装丁　鈴木一誌／二二〇〇円

（調査・作成＝加納千砂子）

村山恒夫　むらやまつねお

新宿書房代表、編集者。一九四六年神奈川県生まれ。早稲田大学第一文学部社会学科卒。七〇年平凡社に入社、世界大百科事典、百科年鑑の編集に携わる。八〇年平凡社を退社後、百人社を設立。八二年新宿書房に統合し、現職。九八年から二〇〇一年までマイクロソフト社のエンカルタ百科事典日本版編集長を兼任。

新宿書房往来記

二〇二一年一二月一〇日初版第一刷発行

著者　村山恒夫
装丁　長田年伸
発行者　上野勇治
発行　港の人
神奈川県鎌倉市由比ガ浜三―一一―四九
郵便番号二四八―〇〇一四
電話〇四六七―六〇―一三七四
ＦＡＸ〇四六七―六〇―一三七五
印刷製本　シナノ印刷
ISBN978-4-89629-401-9